略傳

一九一五年六月：夢參老和尚出生於中國黑龍江省開通縣。

一九三一年：在北京房山縣上方山兜率寺，依止慈林老和尚剃度出家，法名爲「覺醒」。但是他認爲自己沒有覺也沒有醒，再加上是作夢的因緣出家，便給自己取名爲「夢參」。

同年在北京拈花寺受比丘戒，戒期圓滿，南下九華山，朝禮地藏菩薩道場，正遇上六十年舉行一次的開啓地藏菩薩肉身塔法會。由於因緣殊勝，爲老和尚爾後弘揚地藏法門種下深遠的影響。

一九三二年：轉赴福建省福州市鼓山湧泉寺參訪，他對湧泉寺當時的一切境界似曾相識，彷佛故地重來。

當時虛雲老和尚於鼓山創辦法界學苑，並請慈舟老法師主講《華嚴經》。他決定依止慈舟老法師學習《華嚴經》，歷時半年，仍無法契入華嚴義海，遂親自向慈舟老法師請法，之後決定以拜誦〈普賢行願品〉、燃身臂供佛的苦行，開啓智慧。

除依止慈舟老法師，學習《華嚴經》外，更旁及虛雲老和尚的禪法，有時也奉慈舟老法師之指示，代講經論，諸如《阿彌陀經》等等。

一九三六年：赴青島湛山寺，依止倓虛老法師學天台四教，並擔任湛山寺書記，負責倓虛老法師的庶務以及對外連絡事宜。

在湛山寺擔任書記期間，一方面向倓虛老法師習天台四教，及宣揚慈舟老法師的戒律精神。隨後奉倓虛老法師之命，禮請慈舟老法師北上青島湛山寺講律，又護送慈舟老法師到北京，開講《華嚴經》。

一九三六年底：再度奉倓虛老法師之命，赴福建廈門萬石巖，禮請弘一大師北上弘律，歷時半年之久。因《梵網經》的請法因緣，弘一大師同意北上湛山寺，開講〈隨機羯磨〉。

一九三七年：擔任弘一大師的侍者半年，以護弘老生活起居，深受弘一大師身教的啓發。當時並就近依《占察善惡業報經》所描述的占察輪相，請弘一大師親手製作一付，以供修習。

弘一大師爲了答謝他擔任半年的外護，親贈手書的「淨行品」偈頌乙本。

一九三七年至四〇年：隨同倓虛老法師在長春般若寺傳戒，講四分戒律，並往來於東北各省、北京、天津、山東等地，講經弘法。其間曾接觸來自西藏的藏僧，引動了赴西藏學習密法的因緣。

一九四〇年：由北京至香港、新加坡、印度弘法並朝禮佛陀遺跡。

一九四一年：轉赴西藏拉薩學習密法，住在西藏黃教三大寺之一的色拉寺學習經論五年，依止夏巴仁波切，赤江仁波切，並因能海老法師的引進參拜康薩仁波切。

一九四五年至一九四九年：轉赴西康等地參學，總計在西藏學習密法達十年之久。

一九五〇年：由西藏返回中國内地，被錯判刑十五年，勞動改造十八年，入獄長達三十三年。在獄中，他經常觀想一句偈頌：「假使熱鐵輪，在汝頂上旋，終不以此苦，退失菩提心。」奠立了爾後重回佛教，弘揚佛法的信心。

一九八二年：平反出獄，回北京任教於北京中國佛學院。在這段時間如法修學地藏法門，重啓弘揚經論的智慧。

一九八四年：接受福建南普陀寺妙湛老和尚、圓拙長老之邀，到廈門南普陀寺重建閩南佛學院，並擔任教務長一職，開講《華嚴經》、《法華經》、《楞嚴經》、〈大乘起信論〉等。

一九八七年：應美國萬佛城宣化上人之邀，赴美數月後返回中國。

一九八八年：應美國洛杉磯妙法院旭朗法師之請，再次赴美弘法，開講《占察善惡業報經》、〈華嚴三品〉、《地藏經》、《心經》、《金剛經》、《華嚴經》等，並數度應弟子邀請到加拿大、紐西蘭、新加坡、香港、台灣等地區弘法。

二〇〇四年：住五台山靜修，並於普壽寺開講《大方廣佛華嚴經》。

二〇〇六年：講演《華嚴經》同時，並應四眾弟子啓請，同時開講《大乘大集地藏十輪經》。

二〇〇七年：《大方廣佛華嚴經》講演圓滿，歷時三年又一個月，共五百餘座。並以九三高齡再度開講《大乘妙法蓮華經》。

大乘大集地藏十輪經

福田相品、獲益囑累品

第六

夢參老和尚 主講

大乘大集地藏十輪經

夢參老和尚主講

福田相品第七

「復次善男子，菩薩摩訶薩有十財施大甲冑輪。若菩薩摩訶薩成就此輪，從初發心，一切五欲皆能除斷，超勝一切聲聞獨覺，普為一切聲聞獨覺作大福田，一切聲聞獨覺乘等皆應供養承事守護。何等為十？所謂布施種種飲食衣服寶飾象馬車乘，及以自身手足耳鼻頭目髓腦皮骨血肉，國城妻子奴婢田宅，如是一一行布施時，不顧身命，不專為己求於世間出世間樂發心布施，但欲普為一切有情生長大慈大悲芽故發心布施，爲欲引發善巧方便殊勝智故發心布施，爲欲引發一切有情安樂事故發心布施，爲欲除滅一切有情苦惱事故發心布施，無勝他心，無麤獷心，無嫉妒心，無慳悋心，而行布施。於所施物，若多若少，下至一食，終不希求自受果報，發心布施，終不希求聲聞乘果發心布施，終不希求獨覺乘果發心布施。於所施物，若多若少，下至一食，但爲希求一切種智，發心布施。」

〈十善業道品〉講完了，這一品是〈福田相品〉。十善業道就是身口七支加上貪瞋癡，這是有為的，只說屬於聲聞乘跟緣覺乘的法。再進一步說，十善業道從人天乘，乃至於到菩薩乘都是具足的，五種修行者所共通的。如果以十善業道法，顯示給眾生，化度眾生，就是菩薩。如果是聲聞緣覺，他想修苦集滅道十二因緣，也必須以十善業道為基礎。

依照前面經文所說的，死了之後再來生人間，得大福德，那就是十善業道本身所應受的福德。如果你的心裡深入觀想，那就是大乘了。它是三乘的共道法，隨著那一類根機，就可以領受到那一類法。

福田相就不同了，福田相純粹是菩薩摩訶薩說的。福田就是種福，這個田地種的福是不可思議的福。每一段每一輪都有兩種相，一個是世間相，一個是出世間相。菩薩在世間上隨順眾生說，如何行菩薩道，使眾生積福田。菩薩的福田，是空義，沒有福田的福田，這是相即無相的涵義。

菩薩如果想行菩薩道，菩薩道的六度萬行，是以布施為首。首先講財施，其次就是法施。如果不以法布施，不以財布施，要入眾生界裡頭，那就很困難的。能夠不隨五欲所轉，不隨眾生的世間所沈淪，那得裝備一下。所以「大甲胄」的「胄」字是什麼呢？就是頭盔。甲就是穿的盔甲。所以你要想度眾生，示現跟眾生同事攝，示現跟眾生一樣的，你就得防護一下。

怎麼防護呢？就是裝備一下，保護自己。用什麼來保護？這個甲胄是形容的意思，好像在戰陣當中，穿上盔甲，不為敵人所傷的意思。你若到眾生界度眾生，不為眾生所染污，不為眾生所轉，而能轉眾生。這個指的是菩薩摩訶薩，也就是他的道力已經很深厚了，用這個輪，可以滅除眾生的貧乏痛苦。沒有錢，那是很痛苦的，所以要用財來布施。若菩薩成就財施的大甲冑輪，從他最初一發心的時候，就能斷除五欲。

這個跟我們有點不相合，我出家六十多年，五欲現在還未能完全斷除；而這些菩薩一發心，五欲就斷除了，對世間無所貪戀。但是他不離開世間，他跟聲聞緣覺不同的，從一發心，就能除斷五欲了。這個五欲境界，我們前面講的很多，顯淺的說就是財、色、名、食、睡。我們之所以精進不起來，懈怠，就是被這個五欲牽引著，我們行布施的時候，夾雜了很多污染。

前面講十善業道，裡頭夾雜很多的污染，不是以清淨心來行財施，無論你在做什麼，供養三寶也好，乃至社會救濟也好，裡頭夾著很多不清淨的心念。因地不真，果招迂曲。心不清淨，你想得個真實的果不可能。

這段經文所講的菩薩摩訶薩是以財施作為摧輾五欲的工具，一發心的時候，行菩薩道、財布施的時候，就除斷五欲了。

他現在不只斷除五欲了，他的塵沙無明也漸漸破了；這些登地的菩薩，他們是斷一分無明證一分法身。所以，他超勝過一切聲聞獨覺，普為一切聲聞獨覺乘作大福田。一切聲聞緣覺的二乘人，都應當供養承事守護這個大菩薩。為什麼呢？給他們作利益故，菩薩摩訶薩能給一切聲聞緣覺作利益故。這是總說，以下就分別說什麼是財施大甲冑輪呢？

「何等為十？」有徵啟的意思，概括的解釋一下。「所謂布施種種飲食衣服寶飾象馬車乘，及以自身手足耳鼻頭目髓腦皮骨血肉，國城妻子奴婢田宅，如是一一行布施時，不顧身命。」財施不像我們一般的施，這個不同；所以他前面的標題就說大菩薩，他能作竭盡施，這個布施就是他的種種飲食、衣服，乃至寶貝，象馬車乘，也就是身外的。還有他自己的自身，乃至六根都能布施。手足、耳鼻、頭目、髓腦、皮肉、血肉、國城的妻子、奴婢的田宅，如是一一行布施時，不顧自己的生命。菩薩是不為自己求安樂，但願眾生得離苦，這就是菩薩的本意。

• 所以，成為菩薩就是有大道心的眾生。他專為一切有情作利益，從沒有想到自己，那就說明我執也斷了；如果法執還在的話，就不可能作竭盡施。

還有法施的十輪，這是指世間的十輪。還有出世間的十輪，他不為自己求世間出世間的樂，而發心布施；這個因地是真的，感果也真實的，能夠成就阿耨多羅三藐三菩提。當布施的時候，他不是為了世間的利益，乃至於出世間的利益，他也不求。這個福田相是什麼相呢？是空相。

所以佛在《金剛經》上說，菩薩在行布施、供養的時候，所做的一切善法，沒有得到福德。須菩提就感覺很懷疑，為什麼菩薩行菩薩道的時候都沒有福德？菩薩說，他不執著這個福德。他要是一執著就不是菩薩，所以他只是不執著而已。不顧其身命，乃至這樣的布施，他的目的就是利益眾生。菩薩的大慈大悲心是不可思議的，修慈悲也不是簡單能做得到的。

無著菩薩想親近慈氏菩薩，也就是彌勒菩薩，他在山裡修「慈心三味」，修了十年，想成佛，想拔一切眾生痛苦，所以叫「慈心三昧」。修了十年，什麼也沒有得到，也沒有見到，好像無緣就退心了。他就下山，下山走到半路上，踫見一個老婆婆在那兒拿一個很粗的鐵杵，在磨針。他問：「老婆婆，您在做什麼？」她說：「我磨針。」「您磨針做什麼用？」她說：「我女兒要出嫁，我給她磨針做衣服、做嫁粧。」無著菩薩就笑說：「您這個針磨成了，您女兒恐怕都死了，怎麼能磨得成針？」那個老婆婆跟他說：「功到自然成。」他忽然開悟了。他說：「我沒有這個功夫，所以不能夠見到慈氏菩薩！」

他沒有走，回到山裡又修了十年，總共修了二十年，還是什麼都沒有，連個影像都沒有。像我們拜懺、念佛，想做個好夢，求得很多，這屬於有相。這不是菩薩摩訶薩的發心。

於是他第二次下山，這回下決心走下來，也沒有遇到什麼境界。走到山底下的一條河流旁邊，看見一條狗。那條狗的肚皮上生個瘡，就在那兒呻吟，很痛苦。無著菩薩未出家學道之前，是一位醫生，專醫治臃腫病患，如今對境了。修了二十年的慈心，他想幫牠治，可是看見這狗實在太髒了；他想這條狗要是人的話，我還可以給牠治一治！他想一想，走了一段，心想不對，「我是修了二十年慈心三昧，修慈心是平等對一切眾生的，為什麼有分別心呢？」

他又回來，如是走了又回來，走了那麼好幾次，決心下不了。最後想：「我這二十年功夫不能讓它白費，還是幫牠治療。」閉上眼睛就去吸那個瘡。這個瘡必須得用口吸，他一吸，心裡頭感覺得很噁心，就要吐；剛要吐的時候，感覺味道不對，這個膿瘡不可能這麼美妙味道，是上妙味道。睜眼一看，狗沒有了，出現的是慈氏菩薩。於是他就問：「菩薩，我修行二十年，天天拜你，求你，你到了最後還要試驗我一下。」慈氏菩薩跟他說：「我也很焦急，我天天預備加被你，是你不理我。」這就是中間還有業障。

於是我們就知道以大慈大悲心發心布施，是很難的；要是沒有殊勝的智慧，我們那個大慈大悲心的萌芽發不起來。我不是輕視各位，我對自己也是這樣，我們那個大慈悲心，極其有限。惻隱之心人皆有之，我們的大悲裡頭有愛見，如果是自己親友，如果是我尊敬的，我喜歡的，那慈悲就有了。要是你的怨家，或像上面說所說的一條狗，慈悲心就發不起來，你怎麼能布施，不顧身命的把自己所有的都供養給別人？不肯的。這個我們自己可以測驗的，甚至有的布施出去，還要拿回來。

《大集十輪經》的這種境界逐漸深了，說菩薩怎麼行菩薩道的？供養眾生的時候，把眾生都供養成佛，都像佛來對待。因為菩薩要成菩薩道，依據〈普賢行願品〉，要是沒有眾生，我們成不了菩薩道。眾生的恩，是難報的，因為眾生使我們能夠成就佛。所以大菩薩發心布施後，他的目的與願望就是普為一切有情，能夠成佛，讓一切有情也能夠生起大慈大悲的萌芽。

因為這樣的緣故才發心布施的，同時為欲引發善巧的方便殊勝智故，發心布施。引誰呢？引一切眾生也發起利益眾生的心，就展轉相受，同時在菩薩本身來說，引發自己利益眾生的方便智。諸菩薩對於利益眾生的方法就是他方便的智慧，要學這個方便智，我們也想幫助人家，如果方法不對，不但沒有幫到忙，自己還惹得很多煩惱。很多道友都有這種經驗。

例如建廟，我想出點個功德，建佛學院，功德出了，聽別人又東說西說的，閒話一堆，那廟也不修，佛學院也不辦，他就退心了就生了謗毀。我對這種事聽的太多了，我為什麼不敢說呢？不說三寶過，乃至於優婆塞、優婆夷，都不敢說；不要說四眾過，這是犯菩薩的根本戒。

不合乎福田相，你那個福種下去的根本芽就生長不出來，就變成焦芽敗種。我們在十善業道、十惡輪裡頭講的非常清楚。你這樣是下無間地獄的，乃至於近無間地獄的，謗三寶，比無間地獄還重。

為什麼信佛好多年了，還沒有什麼成就，什麼原因呢？我們的身口意三業，造太多了，你不知道這是在造業。如果對照一下《大集十輪經》，你才知道身口意十業，十善業跟十惡業，十惡輪跟十善輪，特別難防護的。我們認為好像很容易，那是憍慢的想法，不是真實的。所以，菩薩以殊勝的方便善巧智來行布施，令一切眾生都能夠安樂布施，當你行施的時候，要發心要發願，一定要具足慈悲喜捨的四無量心。

同時菩薩以財布施，為除滅一切眾生的苦惱，所以發心布施。眾生在苦難當中，你發心布施，給他財施的時候，你要發心善巧方便，發心要引他入法，要引導他成道了脫生死；你還要放下一切，這不過是用財來引導他而已。所以佛教講，度眾生的時候，先以欲鉤牽，漸引入佛道。先用他所喜歡的，他所缺乏的，引誘他，漸漸就能引入佛道，攝受他。同時在菩薩發布施心的時候，不需要跟人家比；不需要說那個捨錢多了，我必須勝過他，他捨一萬，我要捨二萬。人家是什麼財力，你是什麼財力，不要比，不要想超過別人。你行你的道就好了，沒有勝他的心，無有麤獷心。麤獷心，心不柔和，不善順，不調柔的意思。

當行布施的時候，財大氣粗，夾雜了種種不乾淨不潔淨的心。財大氣粗不是供養心，所以我們在《地藏經》第十品上講，地藏菩薩請佛說校量功德，說這個眾生布施功德，為什麼有一生享受？有十生享受？有千百億生享受都享受不完？同樣的財物沒有增加，原因是什麼呢？心不同。必須以菩提心，起碼要沒有勝他心，沒有這種麤惡的心。

還有嫉妒心，嫉妒心很多人都有。還有慳吝心，雖然布施了，後來又後悔了，捨不得，慳貪嫉妒的，還有吝惜的。

這類行布施，不論所施的物，或多或少，「下至一食」，乃至布施個整個三千大千世界的七寶，日初時，日中時，日末時，三時都行布施，所得的福德也不大。甚至於連福德都沒有得到，特別是對三寶，對眾生也如是。無論布施的多寡，不要給自己求受果報，施不望報。我們中國的儒家也是這樣的想法；布施望報的時候，你是有所企圖，那不是布施了。乃至於布施雖然很少，也希望人家還報，這已經不是行布施了，「我做了好事了！」那樣你的目的不純了。

要是發心布施的，終不希求聲聞乘果，發心布施，不要想證得阿羅漢果，這樣發心就太偏小。我們想了生死，那麼斷世間的集因，完了就是消滅世間的苦果，以修道的因，證得偏空的涅槃，不是究竟真空的涅槃，這種是求聲聞果。想了生死，要證得大般涅槃，你發心就求佛果，發心就求證得菩提果。發這個心布施，是菩提心。所以說，不要希求獨覺乘的果位發心布施，不止聲聞乘的果位不希求，獨覺乘的果位也不希求，兩者合起來，就是二乘的果位。

於所施的物品，所施的物質，若多若少，「下至一食，但為希求一切種智」，就是求成佛。完了，做善事不論大小，念念的都是希求成一切種智，希求成佛果。這樣的發心，就對了。

「善男子，菩薩摩訶薩成就如是十種財施大甲冑輪，從初發心，一切五欲皆能除斷，超勝一切聲聞獨覺，普為一切聲聞獨覺作大福

田，一切聲聞獨覺乘等皆應供養承事守護。所以者何？聲聞獨覺發心布施無大慈悲，但爲己身捨貧窮故，但爲己身脫衆苦故，但爲己身得安樂故，但爲己身證涅槃故，不能普爲一切有情而行布施。菩薩摩訶薩發心布施有大慈悲，普爲有情捨貧窮故，普爲有情脫衆苦故，普爲有情得安樂故，普爲有情證涅槃故，不爲自身而行布施。以是義故，超勝一切聲聞獨覺，普爲一切聲聞獨覺作大福田，一切聲聞獨覺乘等皆應供養承事守護，菩薩摩訶薩修行財施波羅蜜多時，於妙五欲心無染著，自所攝受一切樂具，普能施與一切有情，依普攝受諸有情心，依自忍受一切苦心，依滅一切有情苦心，依與一切有情樂心，依與有情大涅槃心，而行布施。以是義故，超勝一切聲聞獨覺，普爲一切聲聞獨覺作大福田，一切聲聞獨覺乘等皆應供養承事守護。善男子，若於五欲心無染著，具大慈悲而行布施，是名菩薩摩訶薩也，亦名一切聲聞獨覺眞實福田。若不除斷世間五欲，無大慈悲而行布施，雖捨無量無邊施物，而猶不得名爲菩薩摩訶薩也，亦非一切聲聞獨覺眞實福田。此施不蒙聖印所印，是故應斷世間五欲具大慈悲而行布施，若不斷於世間五欲無大慈悲而行布施，不名菩薩，非眞福田。善男子，染著五欲行布施輪，尚不能滅自身所有少分苦惱，況能除滅一切有情無量苦惱。」

菩薩摩訶薩成就如是的十種財施大甲冑輪，從他最初一發心，「一切五欲皆能斷除」，一發心就能斷除。聲聞緣覺乘做不到，這就說明他超過一切聲聞緣覺，所以他能給聲聞獨覺乘作大福田。對這樣的善知識，一切的聲聞獨覺乘都應當供養、承事、守護。

所以者何？聲聞獨覺發心布施無大慈悲，沒有慈悲心；因為他沒有發菩提心，慈悲是屬於菩提心所攝的。這裡所說的大慈悲是如何的大慈悲呢？我們幫助人家，救濟人家，要幫助得徹底，救一個人，只從他的死難當中救出來，這個還不算徹底；以佛的教導讓他成佛了，這就徹底了。

有大慈悲心的，他度一切眾生，都希望他成佛，那麼這樣就有大慈悲了。單為己身捨貧窮故，為什麼我受苦？就是因為我過去沒有布施過，布施是得福報的，沒有種過這個福，所以貧窮。

凡是為自己證涅槃了生死的，自己要超出三界的，看著五濁惡世太苦了，生起厭離，這都是屬於二乘人的發心。菩薩發菩提心的第一個心就是厭離心，就是出離心。「菩提道次第」就是講的出離心。但是發了出離心，厭煩世間，他不離開，為什麼？一切眾生還未得度，他要讓一切眾生都明了出離心。

一樣的發心，兩者的層次可不同。他為了一切眾生得安樂，不為自己求安樂，願望一切眾生都能夠有出離心，不是單單為自己有出離心；因為自己明白了，明白一切世界是苦、空、無常、無我的；但是，他知道不能放棄度眾生的事業，要發大菩提心。菩薩摩訶薩發心布施有大慈悲，不像聲聞似的，聲聞不能普為一切有情而行布施。菩薩發心布施的時候，他有大慈悲心，不只救濟他的身，還要救濟他的心讓他成佛，讓他發菩提心。他不只是為了讓一切有情脫離貧困而已，他普願一切有情脫離一切眾苦。

「眾苦」，包括分段生死與變易生死，不是只為了證「有餘涅槃」，而是證得「究竟無餘涅槃」，普為一切眾生得安樂故。這個安樂，是究竟的安樂。像我們拜懺時所念的偈子，「普為眾生得安樂，但願眾生遠離苦惱。」但是你要注意因，這個安樂怎麼能得來？必須得發心，要重一切安樂因，怎麼能捨苦呢？苦怎麼來的？要注重苦因，這才叫大慈悲。

因為這樣利益有情，讓有情能夠證得究竟涅槃。他那個行布施，不是為自己行布施，而是為了一切眾生行布施的。那麼為了一切眾生行布施的功德，又布施給眾生，就是布施所得的功德，又把他供養給眾生。所以我們做一點點事業，都要迴向法界有情，因為這樣，這個功德才永遠不斷，因為法界普遍故，法界永遠不斷滅故。

「以是義故，超勝一切聲聞獨覺」，因此就超過一切有情了。菩薩摩訶薩是給「一切聲聞獨覺作大福田」的，有資格給他們作大福田。因此，一切聲聞獨覺乘皆應供養承事守護。同時菩薩摩訶薩修行財施波羅蜜的時候，就可以到彼岸了，波羅蜜就是到彼岸的意思，也翻成就的意思。能海老法師解釋「揭諦揭諦，波羅揭諦，波羅僧揭諦，菩提薩婆訶。」它的涵義是：「成佛，成佛，眾生都成佛。」但是過去有的大德解釋為，「到彼岸，到彼岸，一切眾生都到彼岸。」解釋雖然不同，涵義是一樣的。

菩薩摩訶薩大菩薩在行財施的時候，他都於微妙五欲心無染著，微妙五欲就特別殊勝。像天上的妙五欲，乃至於菩薩所行的，所證得的妙五欲就是不可思議的。心理上的，像音樂，也是妙五欲。像四意的接觸，聞著那個好色，色、聲、香、味、觸這五種境界，你所攝受的，乃至於為五樂所享受的一切工具，普能施與一切有情。

「以是義故，超勝一切聲聞獨覺」，所以「普為一切聲聞獨覺作大福田」，又進一層說，給這些聲聞緣覺，作大福田的因是什麼呢？就說這個因。或是菩薩施與一切有情的時候，不但粗五欲，他自己不執著；乃至妙五欲，他也不染著，他自己能忍受一切的痛苦，不把這個施與眾生。換句話說，他絕不是嫁禍於人，他想眾生離苦，願代眾生受苦。因為能忍一切的苦，也能夠消滅一切有情眾生的苦，要使眾生不受苦，得消滅眾生的苦因。

為什麼他要受苦？因為是他集來的。集來的就是苦集滅道的那個集，世間的因果，是他集來的；怎麼集來的？他口裡所說的，身上所做的，心裡所想的，這樣的集聚來的。不善業是集聚來的，你當然要受苦果。於有情的樂心，那歡樂心，信樂心，這個樂心是怎麼生起的呢？依照佛所教導的法，依照佛所啟示的發心；發心也是利益一切有情的，使一切眾生都了解不生不滅，無苦無樂，無自無他，這種是大涅槃心，這是般若智心。以這種的義理，「以是義故」，超勝了一切聲聞獨覺，能有力量給聲聞獨覺作大福田。

「一切聲聞獨覺乘等，皆應供養承事守護。善男子，若於五欲心無染著，具大慈悲而行布施，是名菩薩摩訶薩也，」這才是真正的菩薩。對於色、聲、香、味、觸，或者我們粗說的，財、色、名、食、睡，對這些心裡不染著，沒有愛好，更不執著。那麼具足大慈悲心來行布施，這才是真正的菩薩摩訶薩；但是這種的菩薩，一般的是指登聖地的，登了歡喜地。

但是在《華嚴經》，到了初住的菩薩，一發菩提心，就能成正果。要十信滿心了，登了初住了，初住叫發心住。他就發了菩提心，就住於菩提心上，一切所做的都是菩提事業。但是這個地方所講的菩薩摩訶薩，是大菩薩，是登地的菩薩，所以才能夠是聲聞獨覺的真實福田。假使不除斷世間的五欲，無大慈悲而行布施，雖然是捨了無量無邊的施物，供養種種的東西，猶不得名為菩薩摩訶薩，不能叫菩薩摩訶薩；因為他沒有大菩薩的心，沒有慈悲心，也不能給聲聞緣覺作真實的福田。

「真實」這兩個字加在這裡是有意義的，在《占察善惡業報經》下卷，就是指止觀雙運，達到一實境界，一實境界的福田相是無相的相。像菩薩這種菩提心的布施是什麼相呢？無相的相。布施的時候是妙有，妙有不是有，沒有執著的。妙有非有就真空，這叫止觀雙運。觀慧具足了，這才能達到真實福田。

「此施不蒙聖印所印」。這個印是指諸佛的實相印，所以應斷了世間的五欲，具大慈悲來行布施。如果不斷世間的五欲，無大慈悲而行布施的，不名為菩薩。不但不「摩訶薩」，「菩薩」也夠不上。「菩薩」兩個字是覺悟有情，要成大道心眾生，他自己都沒有覺悟，又怎麼能覺悟眾生心呢？具足了就是「菩提薩埵」，「菩」字略個「提」字，「薩」字略個「埵」字，就叫「菩薩」了，具足說就是「菩提薩埵」。所以這不但不名為菩薩，也不是真正福田；這是就深義來說，並不是說布施了，卻沒有福田，不要理解錯了。

像我們不是大菩薩，我們布施完了，也沒有福田；這是說你得不到菩薩摩訶薩那個福田。不過，你還是有福田的，布施怎麼會沒有福田？布施能夠救濟貧窮，你來生就富有。而你貪著了富有，你總有作業的時候，你的心沒有清淨的時候，你來到人間，有了錢，還不是造業？過去積福了，今生有了地位，有了錢，你造的惡業更大一點。前面那個旃陀羅王，旃陀羅婆羅門，旃陀羅宰官，就是這個涵義，所以不能染有五欲。

「尚不能滅自身所有少分苦惱」，如果不滅五欲，貪著五欲的所行布施，那是有目的的。你為自己享受五欲，你連自身的一點點苦惱都免不了，又怎麼能滅除一切有情的無量苦惱呢？這是不可能的。

「爾時世尊重顯此義而說頌曰：

成就財施輪　智者淨意樂　盡離於五欲　安樂諸有情
爲樂諸有情　不求自果報　雖行少分施　而名眞福田
雖復施衆多　而依止五欲　非聖印所印　住不定聚中
雖行少分施　而不依五欲　名聲聞獨覺　眞實良福田
故應捨五欲　常行清淨施　安樂有情衆　成眞實福田」

要成就這個菩薩布施甲冑輪，有智慧的智者，他能夠清淨，他所信樂的，他意念所想的，能離開五欲，不貪著於五欲，能安樂一切有情眾生。為了要安樂一切諸有情故，所以他不求自己的果報。能施的心是清淨的，所施的物也是清淨的。因為我們夾雜了很多污穢，布施、供養，心不清淨，得到這個施的人，利益很少，也不清淨；他拿著你所施的物，可能還去作業。

這種連鎖的反應，就有這麼大的利害關係。所以布施的時候，心裡一定要清淨，不求自果報；雖行少分施，而名真實田。菩薩行布施的時候，他不會為自己求一點的利益，全是施捨給眾生，這才能真正給眾生作真正的福田。

「雖復施眾多，而依止五欲，非聖印所印，住不定聚中。」雖然布施了很多的東西，很多的物質，乃至於法師還要給人說法；要是自己心裡不清淨，你說的法有污染，聽的人也清淨不了。

另外布施的時候，你要觀機。我們前面講，對於聲聞乘無誤失，對於聲聞教的人，機無誤失，就是機跟法要相吻合。如果機不對法，法無作用，法不對機，那個法也就是沒有作用。要是依止五欲而行布施的時候，這不是佛所印可的。這是住在什麼呢？你這個布施的福德，究竟是成聖果呢？還是成凡夫呢？不定。因為不知道布施的意願如何！「不定聚」就是不知道你是大是小，是這樣的涵義。施多的，依止五欲不可以，要是施少的，「雖行少分施，而不依五欲」，他雖然捨的物質很少，但是他不依著五欲，不會要求五欲，這才是成就聲聞獨覺的真實福田。

「故應捨五欲，常行清淨施，安樂有情眾，成真實福田。」你所供的布施，供養眾生了，成了真實福田；眾生得了你的布施，得了你的供養，他也能夠用你這個財物，心裡也清淨，也能歸依敬信三寶。

「復次善男子，菩薩摩訶薩有十法施大甲冑輪。若菩薩摩訶薩成就此輪，從初發心，一切五欲皆能除斷，速能獲得日燈光定，超勝一切聲聞獨覺，普為一切聲聞獨覺作大福田，一切聲聞獨覺乘等皆應供養承事守護。何等爲十？謂諸如來所說正法，或聲聞乘相應正法，或獨覺乘相應正法，或與大乘相應正法，或世間法，或出世間法，或有漏法，或無漏法，或有爲法，或無爲法，或不二法。菩薩摩訶薩於此十法深信敬重，一切聽聞，隨力所能，審諦領受，思惟觀察，究竟通利，隨其所宜，爲他演說。於說法時，無嫉妒心，無慳悋心，無憍慢心，無求利心，無輕他心，無自舉心，有恭敬心，有饒益心，有大慈心，有大悲心。爲聲聞乘補特伽羅說聲聞法，不爲彼說獨覺乘法及大乘法。爲獨覺乘補特伽羅說獨覺法，不爲彼說聲聞乘法及大乘法。爲於大乘補特伽羅說大乘法，不爲彼說聲聞乘法獨覺乘法。隨諸有情根器所能爲說正法，非根器者終不爲說。於其大乘諸有情所，終不勸修獨覺乘行聲聞乘行。於獨覺乘諸有情所，或時勸彼修大乘行。於聲聞乘諸有情所，或時勸修獨覺乘行及大乘行。於諸如來所說正法，下至一頌，乃至半句，深信敬重，終不毀謗障蔽隱沒。於說法師起世尊想，於聽法眾起病者想，於所說法起良藥想，斷除五欲，無所希求，宣說正法。善男子，是名菩薩摩訶薩十種法施大甲冑輪。若菩薩摩訶薩成就此輪，能斷五欲，速能獲得日燈光定，超勝一切聲聞獨覺，普爲一切聲聞獨覺作大福田，一切聲聞獨覺乘等皆應供養承事守護。」

這是法施，上文說的是財施。法施大甲冑輪，大甲冑輪是形容詞，形容菩薩的清淨心。當你做一件事情，要先靜一靜，這個事情應當怎麼樣發心？要發菩提心，由你這個菩提心能生起善方便慧，當你利生的時候就能夠觀布施的時機，能夠不出偏謬，不出誤失。

若大菩薩成就這個輪的時候，這法施大甲輪，從他一發心的時候跟前面一樣的，五欲都能除斷了；一斷五欲，獲得功德，那功德是什麼呢？得一個定，日燈光定。這個定就是八百三昧定當中，屬於楞伽定的一種。日是日光，燈是燈光，就是形容他能破除眾生的黑暗，他自己也破除自己的黑暗。有光明照耀，有了智慧，這是一切聲聞獨覺所沒有的。所以說他得超勝一切聲聞獨覺，因此能夠給聲聞獨作大福田。一切聲聞獨覺乘，就皆應供養承事守護。承事就是弟子對上師的意思，對大善知識的意思。

這是總說，下面又分別的說，不過在〈福田相品〉，佛就略了前面的十財輪，合起來說的。何等為十呢？布施飲食，車馬象馬自身手足也是十種，具足一個大悲心就行了。現在這個法施也是這樣，從他一發心就得了日燈光定，超勝了一切聲聞緣覺。他說法的時候，如來所說的聖法，跟聲聞乘相應的，就說聲聞乘法，對的是聲聞機。

「相應」就是「瑜伽」。現在講「瑜伽」，翻成華言就是「相應」。相應的時候，就是法跟機相應了；一聞著法，他就能夠修行，修行就能得道，就能得入定。如果不相應，他是聲聞乘，你卻給他說獨覺乘法、說因緣法，或者給他說大乘六度法，他得不到。他認為佛法對他沒有用處，所以你只能給他說十善業。你給他講《金剛般若波羅蜜經》，他得不到。要是對他說，佛法是空的，他從此產生斷滅空，什麼事都不做，反而去造業了，這就是不對機。不對機了，沒有得到利益，對於如來所說的正法，聽者聞者當成邪法。他不但沒有得到利益，還生了謗法的罪過。

與這個聲聞乘相應的呢？總的來說是四諦法。與獨覺乘相應呢？因緣法，十二因緣法。與大乘相應的正法呢？就是六度法。這包括很多，或者是世間法，或者是出世間法，或者是有漏法，或者無漏法。世間法就有漏，出世間法就是無漏，這兩個各有各的涵義，後面每一段都有解釋的。或有為法，或無為法，或不二法，這個不二法是究竟法。

如果大家聽過《維摩詰經》，那個不二法門，總說就是染淨不二。那麼大小乘也不二，像《維摩詰經》中，文殊菩薩問維摩詰居士，如何是不二法門？維摩詰居士就行淫怒癡不二法門，淫怒癡就是戒定慧。

另一段說，文殊菩薩問維摩詰不二法門的時候，他就是不說話。大家說了很多的不二法門，問到他的時候，他不開腔。文殊菩薩就讚歎了，這才是真正的不二法門。什麼叫不二法門呢？言語道斷，心行處滅。不能思惟，不能用言語表達，這就是不二法門。

如果於此十法，深生敬重，一切聽聞隨力所能。你是什麼根機，能夠做到多少，就能領會好多。你詳細的審思，如理的觀察，審諦而領受於心，受者領受於心，這樣的思惟觀察，才能夠究竟通利，才能夠通達。聞而不思則罔，罔等於未學未聞；思而不行則怠，思了而不去做，還是等於零。

例如我們修習《十輪經》，就要修行十輪法，如果我們修行的是淨土法，你聽了《無量壽經》、《阿彌陀經》，聽了很多，你不去做，沒有用處。打個佛七，就是行了。像妙境老法師到觀音寺打佛七，參加打佛七就是行了，行就是做，做就是修行。但是你要注意，念佛要從心起，念完了還歸於心，念念從心起，念念還歸心，那就是我們講的不二法門。阿彌陀佛就是我，我就是阿彌陀佛，必須得如是觀，這也是不二法門，自他不二；能念的是我，所念的是阿彌陀佛，能念所念同一體故，同一法身。

慈舟老法師對於念佛的開示，是配合普賢菩薩十大願王的開示，念一句阿彌陀佛，配著普賢十大願。這是一九四零年，他在打佛七時講的開示。這就是不二法門。

「菩薩摩訶薩於此十法深生敬重」，你能夠有好大的智慧，你能夠生起好多的觀照？你有好大的定力？你能領受得到好多？思惟就是定，觀察就是慧，要定慧雙運，這樣才能夠達到究竟。你要是生到極樂世界就通了，極樂世界就在你的心中，阿彌陀佛就是你，你這樣就能成就，這叫隨其所宜。菩薩摩訶薩用這十法來教化一切眾生，這是以法供養，以法布施，這叫法施。

但是說法的時候，不能有嫉妒心，不能有慳吝心，不能有憍慢心，不能有求利的心，不能有輕他的心。還要會觀機說法。我犯過這個罪過，因為我不會觀機，沒有這個德行，沒有這個神通。我有什麼意念呢？只要我跟大家共同學習的時候，你來聽，那就是有緣，你要想聽《大集十輪經》，那就有緣了。你來聽，我跟你說，那就沒有錯謬。你聽聽，不愛聽，我們倆無緣，你就走了，我也不犯錯誤，你也不誤失。你一直聽完，能夠得到一點好處，對我來說，我也沒有什麼功德；對你來說，你得到實在的利益，這就是能入佛門。

我們每位的道友在弘揚佛法的時候，向別人宣傳的時候，面對你的周圍親友，勸他念一句阿彌陀佛，你也說了正法，好多道友問我：「我如何能幫助人家？如何能度人？」我說：「你可以行菩薩道！」「我還能行菩薩道？」我說：「你照樣能行。你會念佛？」「會！」我說：「你能不能給人家講講念佛的好處呀？」「能！」我說：「這就是行菩薩道了。」至於很深的義理，我們是專業，你是副業，你能那樣做，就比我還強了，你也不為名不為利，不是嗎？

無論哪位道友幫助別人，千萬要注意，第一點，不為名不為利。只是不為名不為利還不行，還要沒有憍慢心，沒有慳吝心；沒有憍慢心，沒有求利的心，沒有輕他的心。「你不懂，我告訴你好了！」這就是輕慢心。雖然你這個語言沒有表達出來，好像自己不輕慢，說人家不懂就是輕慢心。

菩薩說法，對利根、對鈍根，都是平等，不會因為這個眾生很愚癡，說一遍不懂，說兩遍不懂，說十遍還是不懂，而利根的你，只要說一遍，就懂了。從菩薩來看，這兩個平等平等，也不會對這個利根的，就特別好一點；對那個鈍根的，就不理他，因為他太麻煩。有的道友之所以會問的多一點，是因為他不知道才會問的多一點，你心裡頭不要認為太找麻煩，生厭煩心，這裡頭就含著輕他的心。

「無自舉心」，自舉就是宣揚自己。怎麼宣揚法呢？現在太多了，我們不用舉例子就可以知道，總把自己的好處讓人知道；那麼，其他人都不行，只有我很好。自舉就是輕他，輕他就是顯示自己，這個錯誤，恐怕眾生犯的很多，有意無意之間，很容易犯的；那麼，對別人就沒有恭敬心。恭敬別人，就不會想到自己，這個裡頭的涵義就是這樣。應當要有饒益心、有大慈心、有大悲心，有這個心，那麼從有恭敬心以下，對一切眾生恭敬，他是未來諸佛，經常作如是觀想。

大家都知道六祖大師聽到別人念《金剛經》，他開悟了；而那個念《金剛經》的人從來沒有提過，當然那個人沒有悟，可是六祖聽到了，開悟了，一定要懂得這種道理。但是，這是有大根器的，這是指菩薩摩訶薩說的，他行法施的時候，就有道德，有他心通的。對於聲聞乘的人，絕不會給他說獨覺乘的法，也不會給他說大乘法。對著獨覺乘人也不會給他說聲聞法，也不會給他說大乘法。對於大乘的根器人，對於這種大乘的補特伽羅，不會給他說聲聞法、說獨覺法。隨住有情的根器，他所能接受的，他能領悟到的，給他說正法。三乘法都是正法，不是根器的人，他沒有這個善根，不是法器的，說了，他也領會不到。

「於其大乘諸有情所」，那些大乘根器的人，你不要勸他們修獨覺乘修行的方法，也不要勸他們去修聲聞乘的方法。而三乘，前面我們講「十善業道輪」裡，於聲聞乘的補特伽羅無有誤失，於獨覺乘的補特伽羅得無誤失，於大乘的補特伽羅得無誤失，三乘法跟三乘人絕不混亂，對什麼機就說什麼法。那麼對那一類的眾生就勸他們修那一類法，三乘法都是共的。

像我這樣講了三個月，也沒有說到幾句正法。法是正的，但是我這個人好像沒有證得正知正見，還不完全正，有時候會有偏差，這是該懺悔的。但是法是正的，你是依法不依人，你對這個說法者是什麼心，你就對他起什麼想。如果你能夠生起世尊想，你就是佛菩薩，你就是佛心；你要是看見他是個貪名邀利的，你自己可能也有點名利的問題。

有個故事，大家可以做個比喻聽一聽。蘇東坡跟佛印禪師兩個人一同去散步的時候，蘇東坡就問佛印禪師說：「你看我像什麼？」佛印禪師說：「你胖胖的又有福報，又是官吏，像一尊佛。」蘇東坡心裡很高興，很了然，很愉快。往前走，走了半天，蘇東坡問佛印禪師：「你怎麼不問我，你像個什麼？」他說：「我不要問你，我沒有什麼想問你。」他說：「你應該問問我。」他說：「好吧！我就問問你，你看我像個什麼？」蘇東坡說：「我看你像堆狗屎。」佛印禪師笑一笑，也沒說什麼了，這就結束了。

回到家裡去，蘇東坡就跟他妹妹說，蘇小妹是有智慧的。他說：「我今天戰勝這個和尚了，從來沒有戰勝過他。」蘇小妹就問他：「你怎麼戰勝呢？可不可以讓我聽聽呢？」他就給她說了一遍。蘇小妹說：「你輸定了，你全都輸了。」「啊！我怎麼輸了？」「人家的心是佛心，看你像佛；你的心是狗屎，所以看人像狗屎。」

這句話很有意思的，就是人的所見不同。為什麼見不同呢？因為你只有這麼大的智慧。還有我們對佛法始終不能了解，為什麼不能了解呢？剛學一點，就想深入佛法，不可能的。我說這話，我是自己親身體驗過的，我從出家到現在六十四年，還不怎麼了解。我經常想到蘇東坡在廬山裡頭，他所作的一首詩：「橫看成嶺側成峰，遠近高低各不同，不識廬山真面目，只緣身在此山中。」我們墮在這個淤泥坑裡，還怎麼能認到佛法？連世間法都不認識，能真正善巧認識世間法，你就會脫離它。你要是認識到，照佛所說這些堅信不移的，佛所說的話我都堅信不移，佛說這個是五濁惡世，你貪戀什麼呢？你在這裡還想找快樂？沒有快樂的。所以，不要貪著五欲。「善男子」，這就是菩薩摩訶薩十種的法施大甲冑輪。

「爾時世尊重顯此義而說頌曰：

智者修法施　隨器說三乘　不爲說餘乘　恐聞而謗法
稱根器說法　不爲非根器　各隨其所樂　勸進令歡喜
終不勸大乘　令修二乘行　或時勸彼二　進修中上乘
常恭敬聽法　深信不毀謗　供養說法師　如佛世尊想
勸聞妙法藥　令除煩惱病　捨利養名譽　而宣說正法」

佛在說法當中經常有重頌。重頌的涵義經上有記載，每當佛要說法的時候，怕大家記不得，或說完的時候，你又漏掉了；或者聽的時候，你沒有聽見。有的是他去遠行了，聽到佛說法的機會，他趕來，長文已經講完了，佛就給他重說一遍，所以叫重頌。還有孤起頌，那不同，那是佛完全用偈頌體材說法的，那就沒有長行的文，那叫孤起。

這個是重頌。「智者修法施，隨器說三乘」，要是有智慧的人要想學習用法布施給一切眾生說法，布施給眾生，隨眾生的根器給他說的聲聞獨覺大乘。隨機，隨那個應受什麼法器的，就給他說什麼乘法。「不為說餘乘」，應受聲聞乘的就不給他說大乘，應受大乘的也不要給他說聲聞乘、獨覺乘。為什麼要這樣做呢？「恐聞而謗法」，因為他聽見了，不但不信，還要謗毀。給他，不但沒有度眾生，反而給眾生增加罪業。

「稱根器說法，不為非根器，各隨其所樂，勸進令歡喜。」說法要對根器，對應到根器，也就是對機；他不對機，不是這個根器的，你隨緣就好了，隨他喜歡什麼就給他說什麼。

他不是大乘根器，你就給他說二乘法，說苦集滅道，說這個世界都是苦的，你要知苦斷集；說好，乃至他也不知道，你就隨順世間法，說世間法好了。講講仁義禮智信也好，講講做人的道理，說做人要有人格，不能跟畜生一樣也可以。好像對什麼樣人說什麼樣法，要對於貪著五欲的，你不能隨順他去說五欲，必須說五欲過患，讓他斷離五欲，直到使他歡喜為止。

「終不勸大乘，令修二乘行。或時勸彼二，進修中上乘。」對待不是根器的，不是大乘的根機，你就不要讓他修大乘；要是大乘根器的，你要不要勸他去修二乘？這就非根器。「或時勸彼二，進修中上乘」，絕不勸那個聲聞乘的去修中乘的，獨覺乘去修上乘的大乘，或者是獨覺乘的，就絕不勸他去修大乘，也不勸他去修聲聞乘。「或時勸彼二」，這個「彼二」就是指聲聞乘、獨覺乘。

「常恭敬聽法，深信不毀謗」，不論你是聲聞乘，獨覺乘，大乘法，應當恭敬聽法，不要生謗毀。對於法，應當深信不疑，這裡面有很多問題；例如我們說《地藏三經》，《地藏經》是大乘是小乘？我們多數的人認為這是小乘，因為盡講地獄和鬼；經文的內容也是地獄的多。但是這個法會的大眾是在忉利天說的，最初一發起是佛跟文殊師利菩薩說的。第二品是地藏王菩薩跟佛說的，第三品是摩耶夫人跟佛說的，每一品都如是。

而且是聞到地藏菩薩的名字就可以不墮三塗，乃至生他方國土，淨國土，都能去得了，這個就不是小乘。聞到地藏王菩薩的名字，乃至最後佛囑託的十二品，囑託觀世音菩薩，最後囑託虛空藏菩薩；《大集十輪經》最後囑託的，還是虛空藏菩薩，這是大菩薩之間互相的酬唱。我們一定要認識，從多方面去認識那部經的涵義，這樣你才不會聽人家說什麼，就跟著他說；或者人云亦云，這最容易造罪的。所以在一切經典當中，《地藏三經》是三乘共同弘揚的。你是人天，你也可以把他作人天乘解釋，但是只要你不謗毀就行了。不要謗毀，要恭敬聞法，深信不毀謗。

「供養說法師」，不論誰說法，要明白法師的意思。如果他以法為師，就是法師，這也包括在家的男女二眾。有時候稱近事，有稱近住。近事是指親近三寶的，那是能夠對三寶產生恭敬心，受過三歸五戒的。近住就不同了，近住就住在三寶處，他受八關齋戒，住在伽藍裡頭；只要他們說的是正法，都可以是法師。法師不是專利的，也不是講經的就是法師，就是站那兒跟你說幾句法，勸你信佛念佛，你也可以當他是法師。

聞一偈而捨身命，跟他說四句話，他就捨身命，聞一偈就開悟。舍利弗尊者遇見馬勝比丘，看到威儀莊嚴，他就問：「汝以何人為師？」什麼人是你的師父？你先給我說個偈子好吧！給他說一偈，舍利弗就開悟了，領他的弟子都歸依佛。所以你對到機，說一句話，你雖然沒有開悟，別人卻開悟了。

念《金剛經》的時候，六祖大師正好去賣火柴，站在人家房子底下，聽到房子裡頭有人念《金剛經》，他聽到一句「應無所住而生其心」，他就開了悟。我念了好幾十年《金剛經》，不曉得念了多少遍，每次念到，就想有的人一聽就開悟了，我念這麼多遍還是悟不了。這是什麼原因呢？業障深重，這就是業。悟跟迷，就是這麼一翻，手背、手掌。所以你要是沒有得到勝解，沒有開悟，也不要造罪；恭敬聽法，不要謗毀，更不要謗毀說法之師。

前面的十善業道講了很多禮敬三寶，乃至被一片袈裟的威力，他還不是出家人，國王要把他送去那個亂墳地，要他餵那些鬼，他聽了就生起恐懼，把腦殼也剃了。完了，就找袈裟。那兒有？他在糞掃當中撿了一片紅顏色的袈裟，還不是完整的袈裟，他被到身上來，那個鬼就不敢食，就圍繞著他讚歎。那麼多的羅剎鬼子母讚歎他，那是顯示三寶的威力。因此我們對於三寶不要生起謗毀，哪位法師都好的，被一片袈裟，都可以把他當成法師，他能給眾生種福田。那個鬼見著他，圍著他繞，把他當作聖僧來恭敬，他就得到這聖僧福田。

我們要是懂得萬法唯心的道理，隨一切處，一切時，心即是佛。應當經常如是觀，能夠勸一切人聽到這個妙法，這就是方法。等於我們有病要吃藥，藥到病除。我們現在有什麼病，有生死病，有五欲病，有貪瞋癡，有這些毛病，所以佛才說這法。恰巧，你吃了這個藥，這病就除掉了，使你不煩惱。

我們的病，總說就是煩惱病，應當放棄名聞利養，不要為名聞利養而說法。平時的貪欲心很重，對於五欲境界，世間財物貪心很重，你應當作觀想。這是毒，你應當經常觀想，天天這樣想，自然就不貪欲。你總認為他有好處，其實他帶來災害，世界的戰爭也好，你想爭什麼呢？不是爭名聞利養嗎？看看現在世間人所做的就知道了。國與國，人跟人之間，就是爭的名聞利養。我們三寶弟子，第一個要捨棄這些名聞和利養，因為這不是好事，它會拉你下地獄的。你經常想，這是讓我受苦的，你要有心理準備；以後再給人說正法，你說的都是斷五欲法，絕不宣揚五欲。

「復次善男子，菩薩摩訶薩復有淨戒大甲冑輪。若菩薩摩訶薩成就此輪，從初發心，一切五欲皆能除斷，超勝一切聲聞獨覺，普爲一切聲聞獨覺作大福田，一切聲聞獨覺乘等皆應供養承事守護。云何淨戒大甲冑輪？善男子，菩薩淨戒有二種相，一者共，二者不共。云何菩薩共淨戒輪？謂諸在家近事近住所受律儀，或復出家及受具足別解脫戒，如是律儀別解脫戒，是名菩薩共淨戒輪，共諸聲聞獨覺乘等。菩薩不由此淨戒輪，能除一切有情煩惱諸惡見趣，及能解脫業障生死，此不名爲大甲冑輪，亦不由此名爲菩薩摩訶薩也，及名一切聲聞獨覺眞實福田。」

在家的近事、近住所受的律儀，就是所受的三歸五戒，所受的八關齋戒。「近事」就是三歸五戒，「近住」就是八關齋戒。「或復出家」，出家就受具足戒，出家還未受具足戒，就受沙彌十戒。「及受具足戒」，具足戒就是別解脫戒。具足一戒，就解脫一樣，持一戒就解脫一樣。二百五十戒都持清淨了，就都解脫了，就證得阿羅漢果。

「如是律儀別解脫戒，是名菩薩共淨戒輪。」這個共是什麼呢？有的菩薩像地藏菩薩，現的是比丘相，他就跟聲聞獨覺乘共，獨覺乘共。他又是菩薩，又是比丘，所以叫菩薩比丘。這叫共淨戒，又受比丘戒又受菩薩戒。比丘戒也清淨，菩薩戒也清淨，就是跟這個聲聞獨覺乘共的。

是不是菩薩藉由這個淨戒輪，就可以把一切煩惱都摧輾完了？令一切眾生的煩惱惡趣都斷絕了？能不能？不能夠的。因為聲聞獨覺乘沒有發這個心。菩薩是以這個戒得到淨戒輪，來除盡一切有情的煩惱，一切惡見、邪知邪見。用這些解脫業障的生死，這個生死是指著究竟的，這就不是大甲冑輪，不是淨戒的大甲冑輪，也不由此名為菩薩摩訶薩。這是跟聲聞獨覺共的，就是聲聞獨覺，不能稱為菩薩摩訶薩，更不能給一切聲聞獨覺作真實福田。

「云何菩薩不共淨戒大甲冑輪？謂諸菩薩普於十方一切有情起平等心，無擾動心，無怨恨心，護持淨戒，普於一切持戒犯戒布施慳貪慈悲忿恚精進懈怠下中上品諸有情所，無差別心，無差別想，護持淨戒。普於三界一切有情，無恚無忿，及諸惡行，護持淨戒。普於三有蘊界處中，無所分別，護持淨戒，不依欲界護持淨戒，不依色界護持淨戒，不依無色界護持淨戒，不觀諸有一切果報護持淨戒，不依一切得與不得護持淨戒，不依諸行護持淨戒，是名菩薩不共淨戒大甲冑輪。善男子，若菩薩摩訶薩成此淨戒大甲冑輪，從初發心，一切五欲皆能除斷，得名菩薩摩訶薩也。超勝一切聲聞獨覺，普爲一切聲聞獨覺作大福田，一切聲聞獨覺乘等皆應供養承事守護。」

這就是菩薩戒，菩薩戒就是「三聚淨戒」，有「六重二十八輕」、「十重四十八輕」。這是菩薩的戒，不跟二乘共的，所以叫不共的淨戒。以這個輪才能度一切有情，為什麼呢？他對眾生是無怨平等的，要是這個眾生惱害我，我就不度他，不是這樣的。要平等心，你惱害他一萬次、害過他多少次，他對你還是當父母想，如諸佛菩薩想。他對你照樣的恭敬，這是真正的菩薩心。

他定力非常強，不為境界相所轉，心能轉境，無有怨恨心，那樣就沒有報復，無苦無怨的，他沒有報復，這樣來護持菩薩淨戒。於戒，持戒的就是法器，破戒的就是非法器。持戒，破戒，這是相對法。布施跟慳貪不肯布施的，慈悲跟忿恚的，瞋恨心非常強的，精進的跟懈怠的。這下中上三品一切有情所，沒有差別心，不但沒有這個心，連想也沒有，無有差別想，護持淨戒。

這個持清淨戒的大甲冑輪，上面是講共的，共的是跟三乘共的。這個是跟聲聞緣覺不共的。對於三界的一切眾生，不煩惱，不瞋恨，不忿怒，見到眾生是虛妄的。觀眾生的性體本空，所以在《金剛經》上說，諸佛度眾生的時候，諸大菩薩度眾生不見眾生相，曉得眾生是幻化的。他這個忿恚憎恨怎麼會生起得來呢？因為我們沒有見到空理，說話不得體；而人跟人之間的關係，又有許多忿怒的地方。同時，自己的心裡也不清淨，也沒有究竟清淨。

這些大菩薩怎麼樣護持淨戒呢?他對一切眾生觀如幻如化的。對於眾生,他不生起一點的煩惱心,這個恚怒是少分的,煩惱心包括太多了。

這個忿包括在「十三垢」裡面。菩薩護持淨戒是這麼樣護持的,對於三界一切眾生有情,他們如何惱害我,菩薩都不起瞋恨心;不生起瞋恨心,當然沒有傷害眾生的心,是這樣持清淨戒。持清淨戒的時候,他離二邊,顯中道的意思。怎麼樣才是清淨戒?他不依著三有,就是欲界、色界、無色界,凡是有生死流轉的,五蘊、十八界、十二處,一切諸法都沒有分別,不起分別。

換句話說,不看哪個眾生好,哪個眾生是作善業的,哪個眾生是作惡業的。作惡業的,你就憎厭,就有恚,有忿。對於善的,心感覺到要護持他們,這就是分別心,這就叫有分別。

「究竟持清淨戒」,這個戒是心戒,以下是分別說的,是心戒。下面是講著護持淨戒,不著一切有相,不著相的淨戒。以下就是不依著三界,欲界、色界、無色界，乃至不觀一切諸有的果報護持淨戒。持戒是因，將來得果是果報。淨戒，持清淨了，證阿羅漢果，證得佛果，他並不是來觀，為的是將來得果報，或者將來得好處，才護持淨戒的。

還有，「不依一切得與不得護持淨戒」，持戒有功德，破戒喪失功德，有罪惡。那麼，菩薩在持淨戒的時候，什麼樣是持清淨戒呢？心淨佛土淨，一切眾生淨，一切諸法淨，他是這樣護持淨戒的。「不依諸行護持淨戒」，行就是修行，修十相，乃至於修唯心識觀，這都算是住心，不是為了這個而來持淨戒的，這才是菩薩不共淨戒的大甲冑輪。不共淨戒是不與聲聞、獨覺乘共的。

什麼是與聲聞乘、獨覺乘共的呢？像五戒，像八關齋戒，像比丘二百五十戒，攝善法戒，攝律儀戒，這些是跟菩薩共的攝律儀戒。有的地方，菩薩戒是不跟二乘共的，饒益有情戒是跟二乘不共的。這位菩薩，他持清淨戒輪，前面說過，有兩種相，一種是共相，二是不共相。共相在前面講了，這裡全講不共相的。

因此，他能夠除斷一切五欲，得名為菩薩摩訶薩。而菩薩之中的大菩薩，就是覺有情，覺悟一切的眾生，讓一切眾生都覺悟，能持清淨戒。這種持清淨戒的心淨，不在戒相的執著。因此他超勝一切的聲聞獨覺，勝過聲聞獨覺才能給聲聞獨覺作大福田。一切的聲聞乘、獨覺乘，都應當供養這位菩薩摩訶薩，都應承事他，跟他學習淨戒。怎麼樣才是淨戒？

「爾時世尊重顯此義而說頌曰：

住在家律儀　出家解脫戒　與二乘等共　不名摩訶薩
智者修空法　不依諸世間　亦不依諸有　護持清淨戒
離取相尸羅　無染無諸漏　護持如是戒　名眞實福田」

「在家律儀」就是五戒、八關齋戒。像菩薩戒裡頭的「六重二十八輕」，初學律儀的時候，依著有相而進入無相。像上面所講的那一段是無相法。這個是與二乘共的，這有相的戒律持戒相，是依相而受持的，這是與二乘共的。與二乘共的就不叫大菩薩，就是一般的菩薩。

或者初發意的菩薩，智者修空法，就是修唯心識觀，修空觀，有智慧者修空觀的。在世間而離開世間相，不依世間而行一切法，也不依諸有，就是不依三界來護持清淨戒的。

凡是取相的，執著的律，尸羅就是戒，就是律，離開了，不執著於相。持戒沒有個持戒的戒相，這是心地法門，無染無諸漏。二乘所有的持律儀持比丘戒，還是有染法的；因為他說的淨，那個淨是對著染說的。二乘的比丘戒，因為只是對治這個見思煩惱，而不能夠牽涉到性體。有智慧的是修空法，是性體。

我們前面講唯心識觀，在《占察善惡業報經》上講，對照這部經的後半截，後段這十個大甲冑輪都是菩薩摩訶薩大乘的究竟，這都是修空觀的。觀一切諸法都是空的，戒律也是空的。凡是相對法，相對法都不是有實體的。要這樣的來護持戒，不漏落三界，乃至一切的無明漏，塵沙漏，都算有漏的。因為二乘人還有變易生死苦，也算有漏。不是那個諸佛的究竟無漏，這只是不漏落三界而已。如果能這樣的護持戒，不取相執著，有取就是執著，有取一定有捨，無取也就無捨了，這才能給二乘人作真實的福田。

「復次善男子，菩薩摩訶薩復有安忍大甲冑輪。若菩薩摩訶薩成就此輪，從初發心，一切五欲皆能除斷，超勝一切聲聞獨覺，普爲一切聲聞獨覺作大福田，一切聲聞獨覺乘等皆應供養承事守護。云何安忍大甲冑輪？善男子，菩薩安忍有二種相，一者世間，二者出世間。云何菩薩世間安忍？謂有漏忍，緣諸有情，有取有相，依諸果報，依諸福業，所發起忍，依自諸色聲香味觸所發起忍，有發趣忍，無堪能忍，力羸劣忍，棄眾生忍，有誑詐忍，矯悅他忍，不爲利樂諸有情忍，是名菩薩世間安忍。如是安忍，共諸聲聞獨覺乘等，此不名爲大甲冑輪，亦不由此名爲菩薩摩訶薩也，及名一切聲聞獨覺眞實福田。」

什麼叫安忍大甲冑輪呢？「善男子，安忍有二種相」，每一輪都有兩種相，一個是世間相，一個是出世間相。出世間是無相之相，什麼叫世間安忍呢？這個忍不能以忍辱的忍來解釋，這個忍是承認的意思。忍可什麼呢？忍可性體，忍可有漏法、無漏法。無漏的是究竟的，有漏的是不究竟的。「緣諸有情」，菩薩行忍是因，得外邊一切諸有情諸緣，因是能生起的，緣是能助成的。

菩薩要想成就忍辱波羅蜜的時候，要知道世間上是沒有達到究竟的，你這個忍還是有漏的，就是不了義的忍。因為緣念一切有情，有情給他作助緣，修這個忍，他有取、有相，若人家罵我，惱害我，那麼，我曉得眾生是業障深重的，忍他的羞辱。這是有相忍。

無相的呢？那個眾生根本就是空的，一切諸法都是空的，視眾生無自體，是緣成的。哪有緣成的呢？地、水、火、風、空、見、識，這七大所組成的，一切眾生都是七大組成的。一般經上說的是四大，地界、水界、火界、風界，凡是說四大界的時候，就說地、水、火、風四大種。凡是三界的時候，當然是欲界、色界、無色界。那麼就包括欲界、色界。無色界是空的，所以說地、水、火、風、空，也在四大種裡頭，無色界也是在空裡頭。

菩薩的安忍，不是取相的。但是隨順世間法故，他有取，有相。依照諸果報，要修，忍辱最能修福。忍辱的人，相貌都很莊嚴，相貌美好，有功德相，這個人要是發脾氣，有瞋恨心，相貌就醜惡。美麗的人、相貌很莊嚴的人，但是他一發脾氣，生氣的時候，相貌就變了，變成羅剎。

所以應當懂得，這是有取有相的。但是菩薩並不是這樣，他依著世間上是這樣子。那麼修著世間的福，因世間福所生起的忍是依著色、聲、香、味、觸，這所發生的忍；或者你打我，打我是觸，觸就是苦受。你感覺痛苦，或人罵你，你感到羞辱，這都是有相的。面對這些有相的，你忍了，但是對於了生死，沒有解決，這只是依著世間，假使了生死也只能證得二乘的生死，這叫「分段生死」，不是究竟的。這個忍是指說一切的色聲香味觸，這是「五塵」。「五塵」對著你的五根所生起的不如意。你忍受了，這叫依著這個所忍的。

這個忍不是究竟的，是隨順世間相的，發心趣向。如果是在世間相要斷世間，斷三界九有，那麼這個忍不究竟，所以這個叫「世間忍」。

「無堪能忍」，要是在世間上的人，他是不可能忍受的，但是就修道者說，他是堪忍的，能夠忍受的。或者力氣贏劣，就不如人。若是跟人較量，總是輸，他認為這是正確的，這就是沒有爭勝的心。這都是指有取有相的意思。

「棄眾生忍」，我們看二乘人聲聞、緣覺，他不度眾生，不度眾生就是棄眾生，他修的這個忍是棄眾生。或者有誆詐人，人家欺騙你，誆你，詐騙你，你不認為是誆詐，你忍可他，矯悅他，使他歡喜，使他快樂。我們這樣子忍可。「不為利樂諸有情忍」，是名菩薩世間安忍，不利樂眾生，這個忍是「世間忍」。是什麼忍呢？是「聲聞緣覺忍」。這是反說的，這都是聲聞緣覺法，隨順世間的，這是與聲聞緣覺共乘的忍法。這就是菩薩的世間安忍。這個安忍跟聲聞獨覺乘等，就跟他們共同，依著這個忍去修，就證得這個忍。

「云何菩薩出世安忍大甲冑輪？謂無漏忍，一切賢聖大法光明，普爲利樂一切有情無染著忍，永斷一切所作事業，語言、因相、文字、音聲，行依處安忍。修此忍故，能斷一切三結、三受、三相、三世、三有、三行、三不善根、四種瀑流、四扼、四取、四種身繫。修此忍時，心意寂靜，是名菩薩出世安忍大甲冑輪。善男子，若菩薩摩訶薩成此安忍大甲冑輪，從初發心，一切五欲皆能除斷，

得名菩薩摩訶薩也，超勝一切聲聞獨覺，普爲一切聲聞獨覺作大福田，一切聲聞獨覺乘等皆應供養承事守護。」

云何是菩薩出世間的安忍大甲冑輪？這個不是大甲冑輪，也不是究竟的安忍，叫「無漏忍」。不但不漏落三界，也不漏一切諸有。這個漏是指無明的習氣、塵沙。那種忍是法忍，要承認法性的，這才叫「無漏忍」。他這個忍是因為賢聖的大法光明，也就是他的智慧。「賢」是指三賢地位說的，這是菩薩證得賢聖，得了大法光明的智慧。但是，他並不是棄眾生，而是利樂一切有情，利樂有情而不貪著，不取著眾生相。

「普為利樂一切有情無染著忍」，「無染著忍」，因為忍可一切眾生，沒有眾生相，就是《金剛經》所說的無人相、無我相、無眾生相、無壽者相，也沒有能忍的我，也沒有所忍的法，沒有所忍的對象；無境，無意境，無法，無我，永斷一切所作事業。所作的事業永斷了，就是不執著的意思，這個永斷並不是不做事，而是作一切事而不執著一切事業。

「語言、因相、文字、音聲」，凡是你所作的事業不能離開語言，也不能離開文字，不能離開文字相，不能離開語言相，也不能離開眾生。你能行的，你所作事業就是能作事業者，這個事業都靠一切諸緣所成的，沒有這個助緣，緣滅了，這個事也沒有了。

要是能得到這個忍，就能斷「三結、三受、三相、三世、三有、三行、三不善根、四種瀑流、四扼、四取、四種身繫，修此忍時，心意寂靜。」，若菩薩摩訶薩修了這個安忍大甲冑輪，從他一發心，就能夠斷除五欲。

什麼叫「三受」？「受」是以領納為義，不論你身體所接觸的，乃至於意念上所接觸的，有三種，就是苦受、樂受、不苦不樂受。我們的眼、耳、鼻、舌、身、意，叫「六根」。外頭的色、聲、香、味、觸、法，叫六塵。根與塵一接觸的時候，中間要有個「六識」，眼識、耳識、鼻識、舌識、身識、意識，三者合起叫「十八界」。

如果根跟塵接觸，沒有這個識，你什麼也不知道；根跟塵接觸的時候，你沒有什麼感覺。因為有識生起的分別作用，你感觸到了，感觸到就是受。受是有苦的，有快樂的，還有一個不苦不樂，有這麼三種受。那就是說，你這個根對待外境的時候，加上識的分別，你感觸到的有三種，一種是感覺到痛苦，一種是感覺到快樂。你沒有什麼感覺，也沒有苦樂的感覺，那就是苦受。樂受的不苦不樂受，不苦不樂就叫「捨受」。

「三結」呢？「結」就是結使，我們在惑業當中，就像繩子，或者帶子，結成疙瘩。我們現在都是皮帶，過去鄉村都是拿個繩子，或者拿布做個帶子來繫，有時候繫結的很緊，特別是用功夫的時候，他怕繫得不夠緊，一下蹦斷了，一下掙開，所以結的很緊。這樣當然有個麻煩，你解的時候很困難。這是比喻我們眾生在煩惱當中，你想解開這個結很困難，這個結是什麼呢？「見惑」。「見惑八十八使」，使你受罪，叫「見惑」。有時有個「身見」，「身見」就以我為主，以我這個身體為主。自己主觀很強的意思，這叫「恒起我見」。

「我見」就是「身相結」，就是身體，一個「我見」，就是「身見結」，要保護這個身體，就跟結使是一樣的。

二者，「禁取結」。「禁取結」就是邪見，邪知邪見邪覺觀，那是講外道的。

「三疑結」，懷疑這個正理，真正的正理，例如說，唯心識觀，你懷疑，所想的、所作的不合理，我們這個合理不是像世間講道理，佛教講的不合理就是跟你的內心、真心不相結合，這才叫迷。

例如，我們信佛教的，別人說是迷信，我曾經問過一些人，我說：「你跟我講講，什麼叫迷？什麼叫信？」他就跟著人家，人云亦云。迷就是迷糊，迷糊信佛教就是迷糊，迷迷糊糊的。我說迷了，迷迷糊糊還信嗎？像精神病分裂的人，他是迷糊的，什麼也不信，連自己都不知道了。迷了，絕不信；信的人，絕對不迷。迷信這兩字扯在一起，是不可以的。為什麼？懷疑的人，他就不信。因為我們是信了，信一切諸法唯心識所現；唯心所現，他就不信了，就懷疑了。疑者就是信不紮根，這個也是一種結，「疑結」。

在《楞嚴經》上講，要把根跟塵這個結帶都解開了，但是這是很不容易解開的，也許你們都是大菩薩，解開了，我是沒有解開。這個結沒有解開，就是因為懷疑的關係，不能生起真正的信心。怎麼叫真正信心呢？《占察善惡業報經》的後半部經文，對於我們講《大集十輪經》有很多的幫助。我們講到這段經文，信你的真心，信你的真如實相，信我們的身跟諸佛是一樣的，平等的，無欠無缺的。可是為什麼得不到呢？就是這「三結」給你結住了，讓你信不進去。

「三相」，一個「假名相」，一個「法相」，還有一個「無相之相」，這是「三相」，一切諸法都有這「三相」。

什麼叫假名呢？偽有的假名，而無實體，只有名字，沒有實體，是可壞的。一壞，這個名字也不存在，代表不了。假名，隨時都可以換一個名字，我在監獄裡頭，沒有名字，一下叫「三四五」，一下叫「一七八」，反正是隨時給你編一個號，把你調整房間，又給你編個號，調整那個地方又換個號，不讓人家知道你在哪裡。你要是到了裡頭，沒有名字了，一叫你這個代號，你就知道這是我，不但對犯人，軍隊乃至政府高級官員都是代表。這個號就這個號，內部就知道這是誰，外部不知道，這些名字不是假名嗎？假的，沒有實體可執的。這個名字也可以安，那個名字也可以安，一切諸相都是假相。假相，那麼假相給安假名，變化很多。

第二種，「法相」，法相諸法之相，就是我們講的五蘊十八界，這個相不是真的。

第三種，「無相之相」，無相之相就是離開假名了。離開假名的法相是什麼相呢？真如，真如不是實的，只是法的名字。就是離開假相的，真的名詞，真的名詞還是假的。也沒有見到真如是什麼樣子，究竟真如是什麼樣子？我們跟真心很遠，一秒鐘都沒有蹚見，要是蹚到一分鐘，你就開悟一分鐘。蹚見一秒鐘，你要開悟一秒鐘。聽了解說的時候，你信了。當你進入的時候，從假名而信的，不是真正得到的信。還有，我們說欲有，色有，無色有，這都是假名，這都是相，這都是法相。

「生相」、「住相」、「異相」、「滅相」，生住異滅，這本來是「四相」。住、異相合了，合成一個，二變一。我們是「住相」，從出生那天就是「住相」，但是住的時候，他又異了。異是變異說，一年一變，一年一變，變到死亡。這是「生相」、「異相」、「滅相」，到最後消失了，沒有了，這就能壞一切諸法。滅是一切諸法相都不存在，滅了，說無生滅，沒滅就不生，沒生也沒有滅，這兩者是相反，不能夠並立。現在我們是「生相」，等我們死亡了，滅了，沒有了，「滅相」，「滅相」是什麼相呢？就是沒有了。

「三世」，很好解釋，就是過去、現在、未來。

「三有」，欲有、色有、無色有。眾生隨著各各的業，你所受的果報，就有生死了。

「三行」，行是運動之義，什麼在運動？身口意在運動，這三行是指著身口意說的。

「三不善根」，貪、瞋、癡，這三個沒有好的，隨便一點點都是壞的，不是善根。這三者染著境，對外面境，順心就順境，你就高興；不順心的，就是瞋境，你就憤、怒，什麼煩惱都來了，這叫沒有智慧。沒有智慧，事理都辨別不出來，這是「三不善根」，是一切諸惡的根本。

「四種瀑流」就是欲瀑流，有瀑流，見瀑流，無明瀑流。財、色、名、食、睡也是瀑流。貪、瞋、癡、慢、疑也是瀑流。

「四扼」是不常見的，扼是車上的，不是現在的汽車，而是在駕牛、駕馬的車橼子上。套馬的那個架在中間，兩邊栓上的，那個是扼，也就是繫縛，把那馬栓上讓牠拉車，怎麼跳怎麼蹦也跳不脫，繫縛了，出不去。我們一切眾生要是在這生死當中，你也出不去。

「欲扼同欲瀑流」，有二十九種；「有扼同有瀑流」，有二十八種；「見扼同見瀑流」，有三十六種。「四無名扼」，「四無名瀑流」，有十五種。

「四扼」就是「四瀑流」，但是裡頭又分了好多，為什麼分那麼多呢？就是我們的思想，我們的行為有很多，佛都一樣一樣的說出來；你合乎哪一樣，就使那一樣不能見性，是這個意義。

「四取」就是煩惱的異名，就是三界有八百煩惱，它分四種類別：「有欲取」，「見取」，「戒禁取」，「我與取」。「我與取」，就是內身的所有繫縛，就是所起的我執。也就是說我什麼事都表白我，表白我就是我見的意思，也是四種瀑流之一。

「四種身繫」就是貪瞋、戒取、實體取，四種繫執。

「三律儀」，「三律儀」就是別解脫律儀，淨生律儀，道生律儀。

「三解脫門」，空、無相、無願。

「四斷見」，就是四正勤。

「爾時世尊重顯此義而說頌曰：

安忍說二種　謂有相無相　有相忍有著　智者不稱譽
修忍依三行　依蘊界處等　是名有漏忍　非摩訶薩相
爲滅四顛倒　修無染著忍　寂靜三行等　此忍可稱譽
能寂靜諸行　離一切分別　心平等如空　此忍可稱譽
諸法同一趣　空無相寂滅　心無所住著　此忍成大利」

「爾時世尊重顯此義而說頌曰」，佛把上面這段經文的涵義，重說一遍。「安忍說二種，謂有相無相」，安忍有兩種相，一個叫有相，一個叫無相。「有相忍」，就是三乘共的。「無相忍」，就是菩薩自己的。「智者不稱譽」，「有相忍」、有智慧的人，不讚歎他。

「修忍依三行，依蘊界處等，是名有漏忍，非摩訶薩相。」依著身口意，依著五蘊十八界十二處，這些所作的忍，所修的忍，不是摩訶薩的相，不是大菩薩的相。

「為滅四顛倒」，無我執我，那就顛倒了。本來沒有執著，記了有個我；本來不是樂，是苦的，把它當成樂，這就是我們的人生。舉個例子，像我們吃酒席喝酒，喝酒是大家勸，一起哄，好像很高興，喝醉了，耍酒瘋。應當知道這是苦了，而且還會帶來一身的痛苦。前年我來這裡的時候，有一位台灣來的道友，他喝醉了，摔到桌子底下，把脖前的骨頭摔斷了，現在他的脖子還是這樣，花了好多錢醫治。本來是討快樂，結果卻不快樂了。

像台灣有男陪酒的，有女陪酒的，女的就找男陪酒的，男的就找女陪酒的。本來是快樂事，但是互相嫉妒，乃至於仇殺，經濟損失就不用說了，還引出了很多麻煩。又爭風，又吃醋，那個苦處在裡頭很多，你說這是快樂還是痛苦？本來沒有眾生，連我都沒有，那快樂不是快樂。常樂我淨是諸佛的四德。反過來，叫「四顛倒」，以苦為樂，無常即常，不淨即淨。

我們這個身體，本身就是不淨的，還嫌這個也不淨，那個也不淨，你哪一點乾淨？自己沒有修觀，因為身體上面有個橫隔膜，下面又有個橫隔膜，所以氣味才出不來。我們從生下來前住母胎的時候就不淨，住在那生臟熟臟之下，就在糞便當中，還要吃那個你才能生存。生下來之後，你看看這個肉體，九孔常流。這個顛倒，他自認為很乾淨，這也不乾淨，那也不乾淨。他認為自己很好，很乾淨了，其實他很不乾淨。

假使說，我們在任何聚會的時候，隨時提著一袋大糞、一只屎尿，封的很緊密的帶去，你自己感覺很不乾淨，要是誰知道了，也會感覺很不乾淨。其實我們的肉體本身就帶去了，你說是不是這樣？這都是顛倒的。本來這個生命是有生必有滅，不是常的；但是我們向來認為它是常的，總想活個幾百年，活個一百年，活個幾十歲。勸別人也是這樣，長壽吧！我勸大家修無常觀，隨時注意自己，隨時可以死亡的。有些道友就不喜歡聽了，幹什麼說死？這是讓你注意一下，極好的，不是壞的，說死就死；那不該死，我說一百遍，你也死不了，我天天說死，我還是不死。

我說了好幾十年的死，我是想死。為什麼想死呢？免得自己放逸。你隨時想到死，隨時想到無常，世間上有什麼可以貪戀的？所以你這樣觀無常修無常了，就是無染著的意思。你必須得這樣承認，忍就是承認的意思，你若不承認，不承認你就去享樂了，得不到那個寂靜的身，寂靜的三行；身口意三行，你得不到，你必須經常作這個觀想，把他顛倒過來，要無我、無常、苦、空，經常的這樣觀想。為滅四顛倒，修無染著的忍，一切諸法無著，身、口、意，對一切諸法都不著。十善業身、口、意的，都是十善業，也不執著，好像你應該的，沒有什麼可貪著的。

忍就能夠得到一切定，八百三昧都能得到。為什麼呢？離了一切分別相，「心平等如空」。我們把有的跟沒有的看成平等，苦和樂的看成平等，常跟無常看成平等。一切眾生的賢愚，那個智鈍，聰明的，愚鈍的，平等平等，在性體上都是平等。為什麼呢？「諸法同一趣」，趣向什麼？空、無相、寂滅，趣向於空無相寂滅，無相無願是三解脫門，一切諸法皆空，一切諸法都是無相的。那個相是假名，假相，心無所住著。你這樣的心一點兒不執著，這個忍就是智者的忍，能夠成佛。

「復次善男子，菩薩摩訶薩復有精進大甲冑輪。若菩薩摩訶薩成就此輪，從初發心，一切五欲皆能除斷超勝一切聲聞獨覺，普爲一切聲聞獨覺作大福田，一切聲聞獨覺乘等皆應供養承事守護。云何精進大甲冑輪？善男子，菩薩精進有二種相，一者世間，二者出世間。云何菩薩世間精進？謂諸菩薩精進勇猛，勤修三種世福業事。何等爲三？一者施福業事，二者戒福業事，三者修福業事，修此即名三種精進。如是精進，緣諸眾生有漏有取，依諸果報，依諸福業，是名菩薩世間精進。如是精進，共諸聲聞獨覺乘等，此不名爲大甲冑輪，亦不由此名爲菩薩摩訶薩也，及名一切聲聞獨覺眞實福田。」

菩薩精進有二種相，一者是世間，二者是出世間。什麼是世間的精進相呢？謂諸菩薩精進勇猛，勤修三種世福業事，行十善，持五戒，都是世間福，布施都是世間福。那麼就說世間的福，有三種的事業相。哪三種相呢？一個是施福的事業相，就是布施的業相，作一切布施的行，這個業相。第二，就是戒，持戒，受了三歸五戒，你持得好，最起碼得到的報酬是生天，永遠脫離三塗。

持八關齋戒，八關齋戒你受完了，持一天一夜，決定生天。八關齋戒的福德功德就這樣，要是多持幾天，你的福德增上。本來你持一天一夜，該生到忉利天的；你持了一百天，或者說是你做帝釋天去了，做天王去了，不做天民了，福德更大。

如果不貪著你的福業，不求生天，也不求享受，我都迴施給一切眾生，那就是菩薩摩訶薩。做一切事，看你怎麼樣想，你怎麼樣想，就得到什麼果；你的想法不同，果報也不同。懂得這個道理，我們做一點善事，不求自己得安樂，但願眾生得離苦。經常想到眾生，你這個功德就大了，無窮無盡的福報。布施如是，持戒如是，修福業也如是。

修福的事很多，修橋補路，讚歎隨喜，我什麼都沒有做，看見別人做了，就依著普賢十大願王，讚歎隨喜，功德不可思議。你這個有我一份，我也想做，隨喜功德，這個功德不可思議。大家讀〈普賢行願品〉，第五隨喜功德，要讚歎隨喜，讚歎隨喜的功德是不可思議。反過來說，你謗毀，或者認為你那有什麼功德，誰做不來，說是誰都能說，但是他不做，看見別人做了，他就謗毀，減少人家利益，你就受罪，這個福大了，罪也大。

這三種的精進，不管你修的多好，怎麼樣精進，晝夜不眠不睡，福德是得了，但是有漏的。這是有漏的，有漏有取，依諸果報，依諸福，這就叫菩薩的世間精進。如是精進，跟聲聞獨覺乘是共的，不是大甲冑輪，亦不由此而名為菩薩摩訶薩，不可以，也不能夠給聲聞獨覺乘作真實的福田。

怎麼樣才是菩薩的大甲冑輪呢？云何菩薩出世的精進大甲冑輪？謂諸菩薩勇猛精進於諸眾生心性平等。我們很難做得到，因為我們的分別心特別重，誰也免不了的。男相，女相，老人相，小孩子相，對待小孩子就不會那麼尊敬。

這個我不說大家也可以感覺到的。我們出家修道者，執相很嚴重，不能接近女人，女的也不能接近男人，比丘尼不能接近比丘，像這種種的相，是不是平等？怎麼理解這個平等？像清涼國師，著有〈華嚴疏鈔〉，他自己要求自己，「身不觸居士之榻，足不履尼師之塵，坐不背法界之經。」他坐的地方，後面要是有經書，絕對不坐，他從來不進比丘尼寺院。

那時候我跟別的道友開玩笑，我說：「清涼國師犯了戒。」他說：「犯什麼戒？那樣的大德犯什麼戒？」我說：「不交際比丘尼。」他說：「人家沒有請他！」我說：「請了，他也不會去。」他不進比丘尼寺廟嗎？足不履尼師之塵。居士想供養他，身不觸居士之榻，居士的床，他不能臥的。還有，口不味過午之餚，過了午的茶水都不能喝。

什麼叫持午？真正持午的，有顏色的水不能喝，那才叫持午。要是受八關齋戒，過午不食戒，你要注意，你不能隨便進食。所以有些戒，像五戒、八關齋戒，要是有時間講一講，大家才明瞭，這究竟是什麼一回事。喝杯牛奶，以為這個不是過午食！我跟很多人說，喝牛奶是不行的，水有顏色都不行的。

還有早晨用齋，不管它天亮沒亮，必須得明相出，什麼叫明相出呢？天都亮了，看見你的手掌紋了，你才能吃東西。像我們現在依著錶，天未亮，那不行。佛制那個戒是有一定界限的，戒是遮止義，這是不平等的。像清涼國師那樣圓融，一塵中有塵數剎。你看他作的《華嚴經》註解，非常圓融，他對自己的要求是非常嚴格。

「云何菩薩出世精進大甲胄輪？謂諸菩薩勇猛精進，於諸眾生其心平等，除滅一切煩惱業苦，如是精進，一切賢聖共所稱譽，無漏無取，無所依止，普於一切精進懈怠，布施慳貪，持戒破戒，慈悲忿恚，下中上品諸眾生所，無差別心，無差別想，勇猛精進，普於三界一切眾生，平等無二，爲作事業，語言思惟，諸行依處，無所住著，勇猛精進，普於三有蘊界處中，無所分別，勇猛精進，不依欲界勇猛精進，不依色界勇猛精進，不依無色界勇猛精進，不觀諸有一切果報勇猛精進，不依一切得與不得勇猛精進，不依諸行勇猛精進，不依三種世福業事勇猛精進，具足出世三福業事勇猛精進，是名菩薩出世精進大甲冑輪。」

「於諸眾生其心平等」，才能去除一切煩惱的業苦，這是精進。什麼是平等？得從你自己的心，這個平等是在理上平等，不是在一切事上平等，在事上那就平等不了，永遠平等不了。有人跟我抬槓，他說一切都要平等，就是事上也得平等，我說絕對平等不了。例如說，我們在客堂裡吃吃飯，不行，今天下個命令，到齋堂吃，每人三碗。人家出坡的，在那裡勞動的，三十來歲的小伙子，三碗是不夠，他要吃五碗。你不行，只能吃三碗。像一些老頭子，他已經吃不動了，完了，或者他在家裡一天坐那在兒，到那兒去讓他吃三碗，撐死他也吃不下去。不行，這不平等，每人三碗才是平等的。

要是這麼講平等，那就執著了。什麼樣才算平等呢？你肚子是平等的。你能吃好多，就吃好多，這叫平等。不能說他扛一百斤，他扛二百斤，都得平等扛二百斤，很多人做不到。怎麼講平等？我要講平等，大家財富都得平等，不能有富貴的，我們大家都拉平，你富貴的充公，完了，平分。我說：「我們佛教講平等不是那樣講。」「您怎麼講？」我說：「自己作的業，自己受。他過去作了業，今生該受窮，富人家享受，那是人家過去做的，這就叫平等。在他作業上平等。」

不明白因果，你在這兒拉平等，永遠平等不了。這種平等是怎麼回事？我說：「現在都不平等！」他說：「怎麼不平等？」我說：「我得關起來，你卻在外頭，那麼自由，那是什麼平等？不平等，怎麼會平等！」「你犯法了！」我說：「我犯法了，這個法是誰定的？」平等，佛教講的平等，是說理上平等，法身平等都平等。不錯，是平等；但是你法身未修，諸佛修了，大菩薩修了，不能成佛，必須跟我一樣，辦不到，這是你的願望，你想都拉下來；你要下地獄，也畏別人都下地獄，不可能。有些人他恨怨，他本來很苦，他怨人，看別人富，他就嫉妒。

我們經常看眾生都是怨什麼，都可以加到理上來觀想，就是這些怨、恨。怎麼講平等？面對下中上三品眾生所，「無差別心，無差別想，勇猛精進，普於三界一切眾生，平等無二。」

從理上講，這是除滅眾生煩惱苦的。菩薩發菩提心的時候，與眾生平等，除滅眾生的煩惱，這樣的精進就是大精進。無漏無取，本來也沒有漏，法身從來沒有漏，地獄也沒有。

講《地藏經》的時候，我經常跟大家說，地獄沒有，大家就是不信。有一個道友他跟我講：「我經常思慮到我這一生也沒有什麼修，將來恐怕會下地獄。有什麼方法可以幫助我？」「我沒有方法，你一定會下地獄。」他說：「您也這樣說！」我說：「是呀，你自己都這樣想，我在這兒不是這樣說。你一天別的不想，光想下地獄，就是諸佛出來也沒有辦法救你。佛要你想佛法，你不去想，卻想地獄。佛經上說的很多問題，你不想，為什麼專想地獄？你為什麼想餓鬼？或者想三塗？面對三塗，你說跟自己無份，就跟自己無份。」

你心裡想什麼，就趣向什麼。為什麼總想極樂世界？想極樂世界，沒有二念，我決定了，不用懷疑，我死了，一定去極樂世界，你就去了。

「語言思惟，諸行依處，無所住著」，無論你所作的一切，心裡所想的一切；身語意所作的，不縛不繫，不解脫也不執著。不縛就是解脫了，解脫就是不縛了，不縛不繫就是不執著二邊。不執著二邊，這道理就深了，也沒有什麼精進，也沒有什麼不精進。什麼叫精進？什麼叫不精進？真正在理上講，一切二邊都可以沒有，但是現在我們不能這樣講。

因為我們現在是懈怠的，懈怠是對著精進的，精進也是對著懈怠的。勇猛精進，具足出世三福業是勇猛精進，是名菩薩出世精進大甲冑輪。「三福業」，就是福、罪、無動這三福業。

「善男子，若菩薩摩訶薩成此精進大甲冑輪。從初發心，一切五欲皆能除斷，得名菩薩摩訶薩也，超勝一切聲聞獨覺，普爲一切聲聞獨覺作大福田，一切聲聞獨覺乘等皆應供養承事守護。」

善男子，若是菩薩摩訶薩成就了精進大甲冑輪，從初發心，一切五欲都能除斷，一發心五欲就斷了，這就是大菩薩。菩薩摩訶薩，大覺悟有情的人，就是這樣。所以他的甲冑精進就超過了聲聞獨覺，能給一切聲聞獨覺作大福田，一切聲聞獨覺乘皆應親近供養他，承事他，跟他學。怎麼樣來做這大甲冑大精進的甲冑輪？

「爾時世尊重顯此義而說頌曰：

於六根染著　漂愚五瀑流　雖勇猛精進　智者皆厭毀
緣眾生精進　有漏及有取　非眞實福田　不名摩訶薩
智者勤精進　遠離一切著　心無所依止　名眞實福田
不染著名色　離蘊界處等　爲眾作歸依　是名摩訶薩
行世如水月　修精進究竟　此輪能永斷　眾生煩惱縛」

「五瀑流」，眼、耳、鼻、舌、身、意的六根，染著於色、聲、香、味、觸、法的塵境，這個就是在五欲漂流，在生死漂流，也可以說六道漂流。雖然勇猛精進不能得果，得到不究竟。「智者皆厭毀」，有智慧的人不這樣做。

「緣眾生精進，有漏及有取，非真實福田，不名摩訶薩。」有取有捨，有漏不能達到無漏，這不能給眾生作真實的福田，更不能給菩薩獨覺作福田，這就不名為大菩薩。

「智者勤精進，遠離一切著，心無所依止，名真實福田。」心裡不依一切相，沒有一點取著，不執著一切法，心裡頭無依止，依止什麼呢？無依止的依止是什麼呢？這是法身，法身是無依止的。

「不染著名色，離蘊界處等，為眾作歸依，是名摩訶薩。」離一切法，不著一切法，那麼攝無量義，就是總持無量義，給眾生作歸依處，就是眾生歸向倚賴的，也就是大菩薩能夠使他出苦海。

「行世如水月，修精進究竟，此輪能永斷，眾生煩惱縛。」說菩薩在世間所作一切事，就像水裡影照月亮似的，空的，沒有的，一切諸法如夢幻泡影，這樣來修精進。他是究竟的真精進，要永遠斷了這個輪轉生死，摧伏眾生的煩惱縛。

「復次善男子，菩薩摩訶薩復有靜慮大甲冑輪。若菩薩摩訶薩成就此輪，從初發心，一切五欲皆能除斷，超勝一切聲聞獨覺，普爲一切聲聞獨覺作大福田，一切聲聞獨覺乘等皆應供養承事守護。云何靜慮大甲胄輪？善男子，菩薩靜慮有二種相，一者世間，二者出世間。云何菩薩世間靜慮？謂諸菩薩依著諸蘊修習靜慮，依著諸界修習靜慮，依著諸處修習靜慮，依著欲界修習靜慮，依著色界修習靜慮，依著無色界修習靜慮，依著三律儀修習靜慮，依著三解脫修習靜慮，依著四念住修習靜慮，依著四正斷修習靜慮，依著四神足修習靜慮，依著五根修習靜慮，依著五力修習靜慮，依著七等覺支修習靜慮，依著八聖道支修習靜慮，依著地界修習靜慮，依著水界修習靜慮，依著火界修習靜慮，依著風界修習靜慮，依著空界修習靜慮，依著識界修習靜慮，依著樂受修習靜慮，依著苦受修習靜慮，依著不苦不樂受修習靜慮，依著虛空無邊處修習靜慮，依著識無邊處修習靜慮，依著無所有處修習靜慮，依著非想非非想處修習靜慮，依著此世修習靜慮，依著他世修習靜慮，依著小想修習慮，依著大想修習靜慮，依著無量想修習靜慮。如是靜慮，有漏有取，有所依著，是名菩薩世間靜慮，如是靜慮，共諸聲聞獨覺乘等，此不名爲大甲冑輪，亦不由此名爲菩薩摩訶薩也，及名一切聲聞獨覺眞實福田。」

「復次善男子，菩薩摩訶薩復有靜慮大甲冑輪」，這就是「定」，靜慮是思惟修，也就是「三昧」。「三昧」翻「靜慮」，也翻「定」，也翻「思惟修」。要是菩薩摩訶薩成就這個輪了，從他一發心，能斷除五欲，「超勝一切聲聞獨覺，普為一切聲聞獨覺作大福田，一切聲聞獨覺乘等。」那麼就應當供養承事守護他，這是重複的說。

「云何靜慮大甲冑輪？善男子，菩薩靜慮有二種相，一者世間，二者出世間。云何菩薩世間靜慮？」諸菩薩依著諸蘊修習靜慮，依著色修行靜慮，依著受修習靜慮，靜慮就是靜心觀察。

我們舉個例子，依著色，「色即三昧」，「心即三昧」，「一行三昧」。色就是一切有形有色的。那麼，靜慮就是思惟。我們前面講，一切諸法無常，觀一切諸法無我，空的。這個靜慮是二乘的靜慮，你得到人間的定，九次第定，依著這個世間習定，你得先修。像我們講數息觀，你依著，這也是靜慮。數息觀還在世間靜慮裡，這是初步的世間靜慮，能夠使你的心靜下來了。先寂靜下來，再生起觀照，依著這個色受想行識，你觀照一下，能寂靜下來。觀照就是慧，能靜止下來，寂靜下來，就是定。

像我們在三界的欲界，依著欲界的靜慮，依著色界的靜慮，或者依著無色界的靜慮。依著「三律儀」，修習靜慮，依著「三解脫」修習靜慮，依著「四念住」修習靜慮，依著「四正斷」，依著修習靜慮，依著「四神足」修習靜慮，依著「五根」修習靜慮，依著「五力」修習靜慮，依著「七覺支」、「八正道」修習靜慮。

「依著地界修習靜慮，依著水界修習靜慮，依著火界修習靜慮，依著風界修習靜慮，依著空界修習靜慮。」這個要講講，空本來就沒有的，怎麼念靜慮？大家觀想的時候，依著空，修習什麼靜慮？空是顯法的，空是形容詞，依著空才能安住一切諸法。因為空，我們才能建造房子，因為空，才能容得下南贍部洲。南贍部洲是在空中的，南贍部洲底下是水輪，大家可能還認為地底下有個水輪，不是這樣，這個地球整個在空中，水輪也在空中。

以前的佛經是這樣講，有些人或者不信，現在衛星已經上天了，從衛星裡頭回頭一看，地球總是藍色的。地球外頭就是水輪，那水輪包著地球。這個道理我們最初聽到是水，這地球在水裡頭還不沈下去？水底也還是風，風裡頭持著這個輪，整個的華藏世界海，底下是一個大風輪持著他。風輪有二十種，一個風輪持一個風輪，一個風輪持一個風輪，都有名字的。必須得佛的智慧才能夠知道，我們的智慧不行。我把這個靜慮總說一下。

若知道空，你還追求什麼呢？你靜下來，不用說你與真空相合，就以這個空，你也可以得到「空無邊處定」。你修唯心識觀的時候，得到「識無邊處」，「空無邊處定」，依著這個修，依著識修「識無邊處」，依著樂受修習靜慮，依著苦受修習靜慮。你想，一切苦是無常的，苦的性體是什麼呢？沒有。要是經常這樣想，效果是有的，但你並沒有經常想。真正的苦來了，你臨時觀一下，當然就可以減少幾分痛苦。

你修觀，用空或者無我，你說誰執著痛？或者你心裡想到一邊去也可以，轉移目標，痛苦可以減輕很多。或者如果時間長了，磨練那苦，就靠修觀。這些修靜慮的，都是世間的禪定，這都是小想，不是大想，這叫依著小想修習靜慮。依著大想，就依著無量想，那就不容易。修習靜慮，如果在世間法裡頭，大想也好，小想也好，有所依，有所著，有著相，都叫世間定。依著世間禪定修，什麼是無相？什麼是出世間？修真空絕相觀，安立一切相。修空觀，修假觀，一切諸法都是假的，一切諸法都是空的，這是不究竟的，是菩薩位，但是不究竟。得修中觀，中觀才是最究竟的。

中觀在華嚴的解釋又不同了。「真空絕相觀」，「理事無礙觀」，「事事無礙觀」，就像我剛才講的，空跟有兩個合了，空是理，有是事，理跟事兩者合為一體；理即是事，事即是理，事理融合了，其他的教理就叫終教。

這個中道，就是事即是理，理即是事，理事無礙，叫「理事無礙觀」。但是最後有一個「周遍含融觀」，隨拈一法無非法界，他又是法界了，含攝無量無邊的一切諸法，都在法界裡頭。每一法又是一法界，這叫窮窮無盡。

《華嚴經》所立的三觀是這樣立的，四教所立的三觀是空、假、中，像三論宗他只立一個中觀；各個宗派說的不一樣，但是所起的觀照是一樣的。修靜慮的時候，依著文字，依著這個次第，這叫「禪覺」。這是「有相禪」，這不屬於禪宗那個深奧的「無相禪」。神秀大師在北方傳的，就是依著有相，一步一步的精進。惠能大師在南方傳的是「無相禪」，叫真空絕相的，無執無著的。這兩種都可以漸漸的修。

像這個就是一部大的學問，你要學的時候，要想把這些名相都理解了，我們天天講也講不清楚，要邊用功，邊學習。「四禪八定」，你要學習很久。

等我們講完的時候，再重頭講數息觀。我們現在下手的，都不是我們所應當修的。數息觀簡單又明瞭，而地藏王菩薩教給我們的數息觀，就照那個修，你也能契入。數數還不會嗎？這個數可不是數一、二、三、四、五、六，而是數你的呼吸，出相、進相；從粗的，數到細處；細處了，息沒有了，止了，定了。好像沒有息了，息也止了，也沒有出息了，也沒有入息了，這叫定。

如果是你拿手指看一看，不出氣，把他活埋了，就是這樣子，他入定了也不知道。他說，他不出氣，絕對沒氣，要是沒有人動他，他一大劫也死不了，他就那麼定進去了，他的身體不會壞的，這是不可思議的。你要是把他架上用火燒，他當然壞了。要是掉到海裡去，就泡漲了。這是講修定的，這些都不是菩薩摩訶薩，前面所說的這些定是跟二乘人共的。

「云何菩薩出世靜慮？謂諸菩薩遠離諸蘊修習靜慮，遠離諸界修習靜慮，遠離諸處修習靜慮，遠離欲界修習靜慮，遠離色界修習靜慮，遠離無色界修習靜慮，遠離三律儀修習靜慮，遠離三解脫修習靜慮，遠離四念住修習靜慮，遠離四正斷修習靜慮，遠離四神足修習靜慮，遠離五根修習靜慮，遠離五力修習靜慮，遠離七等覺支修習靜慮，遠離八聖道支修習靜慮，遠離地界修習靜慮，遠離水界修習靜慮，遠離火界修習靜慮，遠離風界修習靜慮，遠離空界修習靜慮，遠離識界修習靜慮，遠離樂受修習靜慮，遠離苦受修習靜慮，遠離不苦不樂受修習靜慮，遠離虛空無邊處修習靜慮，遠離識無邊處修習靜慮，遠離無所有處修習靜慮，遠離非想非非想處修習靜慮，遠離此世修習靜慮，遠離他世修習靜慮，遠離小想修習靜慮，遠離大想修習靜慮，遠離無量想修習靜慮。如是靜慮，能發賢聖廣大光明，無漏無取，無所依著，是名菩薩出世靜慮大甲冑輪。善男子，若菩薩摩訶薩成此靜慮大甲冑輪。從初發心，一切五欲皆能除斷，得名菩薩摩訶薩也，超勝一切聲聞獨覺，普爲一切聲聞獨覺作大福田，一切聲聞獨覺乘等皆應供養承事守護。」

我們講唯心識觀的修習靜慮，不要看文字；文字都是離文字相，從文字上，你看了，也莫名其妙。為什麼呢？要離一切相、離一切法來修習你的思惟，這就是空觀。

最初，大菩薩的空觀跟二乘是有所區別的，二乘也是空觀成就了，而入涅槃寂靜，他也證得涅槃了，也不生不滅了。他認為是空了，但是他不度眾生，從空裡頭不能出有，從空入假，從假入空，這個道理他體會不到，所以這個叫世間的禪定。世間二乘的都是依著世間修的。

大菩薩他不依著這個世間修，他依著這個「能發賢聖廣大光明」，凡是有想、有相、有取著，都不是菩薩的境界。大菩薩修行的是出世的靜慮大甲冑輪，那還是要修這個出世的空觀。空觀，這個空就是真空絕相，《占察善惡業報經》，那個也是地藏王菩薩說的，地藏王菩薩要修那個觀，一個「唯心識觀」，一個「真如實相觀」，入實相境界。一個是「觀」，就是照，一個是「定」，就是止。奢摩他、毗婆舍那，菩薩是修毗婆舍那的觀。觀跟慧兩者要合起來修，單有定沒有慧，屬於聲聞，二乘必須止觀雙運。若能成就這個大甲冑輪，從他最初一發心，五欲都能除斷，這是一樣的，得名菩薩摩訶薩。

「爾時世尊重顯此義而說頌曰：

為捨己重擔　修有所得定　永斷自煩惱　非眞智者相
依器有所觀　求解脫修定　取著此彼岸　非利樂有情
為利樂有情　修定捨重擔　滅一切煩惱　是眞智者相
為潤諸有情　修無依著定　永斷諸有愛　是名大慧者
為解諸有縛　令住無畏城　修行寂止定　是名摩訶薩」

這個重擔是什麼重擔呢?捨己,只為了自己,就是二乘人。上面所有的定,都是二乘人所修的。菩薩把他反過來了,上面並沒有說菩薩是專修什麼的,專修就是把二乘反過來,那就是菩薩所修的。菩薩修空觀是不空的,不空在什麼地方顯呢?要度眾生,讓眾生都能明白了,這個世間是苦的,乃至於到了世間也是不苦不樂的,二乘人跟小乘不同。

所以就是為了捨己重擔,自己感覺到負擔太重了,想把這個捨離,修有所得定,得什麼呢?得那個涅槃寂靜,那是二乘人涅槃寂靜,永遠斷自己的煩惱,斷見思惑,這不是智者的,非真智者相,這不是智者所修的。「依器有所觀,求解脫修定,取著此彼岸,非利樂有情。」這也不是大乘菩薩所修的。

這個觀不是真正的智慧,要依什麼呢?依止正覺世間。這個觀是真觀,是為了求解脫而修定,這是指著二乘而說的。我要解脫煩惱,這樣來修的定,沒有智慧,沒有利益眾生,智慧不大,取著此彼岸。我就在這個岸,要到彼岸。六波羅蜜不是到彼岸嗎？那是形容的，拿那個作比方的，沒有此岸，也沒有彼岸。假使你要求解脫，修定，取著，執著。我在生死岸，要到涅槃岸，這個不是利樂有情的，也不是菩薩摩訶薩。

「為利樂有情，修定捨重擔」，我是為了利益眾生，讓眾生都能得利益。這樣來修行，是為了修定，讓眾生捨重擔的。修定是要滅眾生的一切煩惱，這才是真智者的相。是大菩薩摩訶薩，為潤諸有情，修無依著定，永斷諸有愛，是名大慧者。不是為了自己，修定也好，乃至修一點點動作也好，所有精進度也好，他這個定，是無依無著。

修定的方法，並不是坐著才能修定，立著就不能修定。「那伽常在定」，行、住、坐、臥，四威儀之中，你都可以修定。坐著的時候，修定有兩種障礙，一個散亂，一靜下來，八十年的往事都想起來了，影子都浮現了，想想坐不住，會發脾氣。跟誰發？跟自己發。那個時候不該那麼做，所以到現在都吃虧，你後悔了。散亂一到，定下來就昏沈了。有時候，一定下來睡一兩個鐘頭，醒了還不知道，你看看鐘點已經過去了。

我們在禪堂裡頭打坐的時候，一支金錠香，有的人他定很好，有的心裡急的不得了，愈瞅，愈不走。那金錠香很粗的，這麼長，最少兩個半小時。你看那個香爐，它還在那兒，也不往下燒，看它簡直不走。有的他根本不看，根本不管，他入了定，睡著了。兩三個鐘頭過去了，等一打板，他醒了，過去了，他幹什麼也不知道了。

有時候，我們坐功好，腿子也不痛。不過，坐功好的，那最糟糕了，他一睡兩三個鐘頭，你看他好像入定的樣子，其實是睡著了。這要從練習中得來的，從外面看，看不出來，他在睡覺，自己感到很舒服。入定的輕安，就跟睡覺一樣，得了輕安，什麼也不想了，他真的放下一切，他就在那輕安裡頭，那是不開智慧的，必須精進勇猛。

要是為了滋潤眾生，修這個定，無依無著，永遠斷了三界諸有愛，這可不是說他自己，潤諸有情，讓諸有情無依無著的入定，能永遠斷絕一切的愛縛。這就是「大智慧者，為解諸有縛，令住無畏城，修行寂止定，是名摩訶薩。」為令一切眾生，解脫所有的纏縛、束縛，住在無恐怖懼城，無生無滅城。

這樣的來修止、修定、寂止定，這才是大菩薩。大家要是看禪定的書籍，就知道這些，現在只是取個名詞，這不是我們要修的，等我們講完的時候，好好修修地藏王菩薩所說的數息觀，同時再好好念佛。真正念佛的人，修數息觀，跟修靜的功夫，是同樣的。

「復次善男子，菩薩摩訶薩復有般若大甲冑輪。若菩薩摩訶薩成就此輪，從初發心，一切五欲皆能除斷，超勝一切聲聞獨覺，普爲一切聲聞獨覺作大福田，一切聲聞獨覺乘等皆應供養承事守護。云何般若大甲冑輪？善男子，菩薩般若有二種相，一者世間，二者出世間。云何菩薩世間般若？謂諸菩薩唯依讀誦書寫聽聞，爲他演說三乘正法，欲求除滅一切眾生無明黑暗，欲求發起一切眾生大慧光明，謂於如來所說種種與聲聞乘相應正法，精勤讀誦，聽聞書寫，爲他演說勸正修行。或於如來所說種種與獨覺乘相應正法，精勤讀誦，聽聞書寫，爲他演說勸正修行。或於如來所說種種與無上乘相應正法，精勤讀誦，聽聞書寫，爲他演說勸正修行，不求賢聖無漏道支，不求聖道，不求聖道所攝解脫，不行寂靜眞實般若，常行有見有相般若。如是般若，若取有著，是名菩薩世間般若。如是般若，共諸聲聞獨覺乘等，此不名爲大甲胄輪，亦不由此名爲菩薩摩訶薩也，及名一切聲聞獨覺眞實福田。云何菩薩出世般若？謂諸菩薩精勤修習菩提道時，隨力讀誦聽聞書寫，爲他演說三乘正法，而於其中依無所得方便而住，無所行動，無所思惟，無有根本，以如虛空心，普寂滅心，無增減慧無取著心，無生滅心，無退轉心，法平等心，眞如心，實際心，法界心，無我心，無分別心，寂滅安忍離分別心，善巧安住無成壞地，善巧安住無住無著勝妙慧地，如是般若，無取無著，是名菩薩出世般若大甲冑輪。」

要是菩薩摩訶薩成就這個智慧般若的大甲冑輪，從他初發心的時候，就能斷絕五欲，這是指著十住菩薩的發心，並不是指初信的。像我們也發心，可是斷不了五欲。十住的初住菩薩，他發菩提心，五欲已經都斷除了，他能頓斷的；而且一發心就勝過聲聞獨覺，勝過阿羅漢了，勝過二乘人。所以，他能給一切聲聞獨覺作大福田，那麼一切聲聞獨覺乘都應該供養承事親近守護他。這都是相通的，文字跟前面是一樣的。

什麼叫做般若大甲冑輪？菩薩的般若，他的智慧有兩種相，一種是世間，一種是出世間，一種是世間的般若，一種是出世間的般若。世間的般若就跟聲聞獨覺共的，出世間的般若就跟聲聞獨覺共不到了。

菩薩成就此輪之後，給一切眾生說法的時候，依著什麼呢？菩薩就要讀誦、書寫、聽聞，菩薩過去生修行的時候，也是依著讀誦、書寫、聽聞。聽聞是聞思，聞而後能思，思而後能修。讀誦書寫，作為修行的一種，跟打坐、參禪是不同的，一個是從相上入的，漸進；一個是從體上入的，頓悟。我們曉得惠能大師，他沒有讀誦，也沒有書寫，文字也不認識，他是頓悟的。我們與他的根機不同，如果像他那種機，給他再說聲聞二乘法，讓他讀誦聽聞，那就錯謬了。我們前面講對三乘無有誤失，要那樣子就誤失了。如果對漸進的人，只說頓悟，參明心見性，現在對這個機都不適合了。

菩薩為什麼這麼做呢？他就是為了修行，修行是為了眾生，讀誦、書寫、聽聞，都是為了演說三乘正法。這加個「正」字，為了除滅眾生的無明黑暗，眾生的無明煩惱就靠這個法來解救，靠法才能夠除滅，不是燈光、太陽光、月光。這種光明，除不了他的黑暗，這是現象上的黑暗，要想去除心理上的黑暗，要學法，要修法。讓他產生自己本具有的大慧光明，為了這種緣故，菩薩就要觀機了。觀機了，看是哪一類的機，哪一類的機就應當給他說那一乘的法。

以下就是種種的法。如果與聲聞乘相應的正法，就對聲聞說，讓聲聞乘聞了法，也能夠精勤讀誦，「聽聞書寫」。勸他修行，聞了法之後，就勸他修行。「為他演說勸正修行」，別走邪道。我們聞法的目的，是怕我們自己所行的，不是正行。如果不是真正的功夫，用錯了，學氣功也很容易岔氣。如果你引進不好的工夫，修不好會引出很多毛病。所以這法也得如是說正法，完了要精進，不要懈怠。勤，不要懶惰。

讀誦的意思，讀是照著經文讀，誦是背的。像我們念咒大多都是誦的，讀經大多照著經本讀。一部《法華經》，以我們的智力是不可能背下來，《華嚴經》，我們也背不下來，《大般若經》，我們也背不下來。只是其中一部份，像《心經》，我們都背得下來，你背得下來，就是誦。照本讀了，或者自己抄寫，這都做得到。但是勸他正修行，這就做不到了。

修觀就觀不到了，像觀自在菩薩是讓你修了，啟發你的般若智慧，那智慧產了大慧光明，你才能夠照見五蘊皆空。不然拿什麼照見五蘊皆空？我們還往五欲裡頭鑽？不曉得五十種陰魔，你根本就在魔中，還以為自己很會修行，這就錯誤了。為什麼要經常讀經？用經來對照，經好比是鏡子，我們臉上有黑斑，自己看不到，你對鏡子一照，就知道了。因此，要勸他正修行。

如果感覺到修行不對，對著經本，看看佛是怎麼說的？對照一下。照著如來所說的種種法，如果是聲聞乘的根機，給他說《阿含經》、《俱舍論》，與聲聞相應的正法；要是獨覺乘，給他說因緣法，說十二因緣。三十七道品，四正勤、四如意足、五根、五力、七覺支、八正道，這些都是三乘共的。你可以深，可以淺。那麼，就是聲聞獨覺，「聽聞書寫」的，「為他演說勸正修行」。

「或於如來所說種種與無上乘相應正法」，要是遇到求無上乘的眾生，勸他正修行，說無上乘的相應正法。像《般若經》、《華嚴經》、《法華經》，明心見性，特別是《法華經》開示悟入佛的知見，給他說佛的知見，二乘人他不能信受的；就拿現在道友來說，我所遇到的，他不反對，你講《法華經》，他也跟著聽聽，你講《華嚴經》，他也聽聽。這樣是種善根，二乘根機都沒有，他不能證得聖果的，只是種善根，但是他能聽經的名字，能夠來聽一聽，都是無量劫來種的善根。不然，他聽不下去，他一坐著，起來就走了。

我在廈門南普陀寺講《華嚴經》的時候，講了半年多，有的聽一聽他就走了，不會從頭到尾的聽完。學生就不行了，不聽也不行，因為他是佛學院的學生，必須聽課。他不是那個機，不是那個機就算是種善根，在未來世，他就該逐漸的成就那個機，這就是種因。但是能種這個因，有宿世的因緣，就像這段經文所說的，我們要想真正的得到真實般若，就是我們現在講《占察善惡業報經》的後半卷，現在我們講的是真實般若，像我們經常所說的，那是有相的般若。有相的般若跟無相的般若，是不同的。有相，「有取有著」，無相是沒有。

他這樣的精勤讀誦大乘聽聞、書寫，那麼他的正修行跟前面的修行不一樣，不求二乘的無漏道智，不求聖道是指著二乘說的，無求無證，不求聖道所說的解脫，不行寂靜的真行涅槃。相反的，寂靜的真實般若，他不作，那麼他所行的是見到有相的般若。對這個般若，有取有捨，就是有執著相。那麼這樣的修行，這個般若不是真實般若，不是真實般若，就是不行寂靜真實般若，行的是見到，所作的是有相的般若。那麼這個般若是有取有捨的，這不是菩薩真正的究竟般若。這是什麼呢？是菩薩的世間般若。所以，對著三乘法要區分對待的，佛不是講無差別、平等嗎？這就是平等，他所應受的。他能乘好多量，你就給他好多，他不能受的，你超過他的量，那就不平等

就像前面我舉吃飯的意思是一樣的。我們給他定三碗，大家都得吃三碗。能吃五碗的，他吃不飽，只能吃一碗的，吃三碗把他撐倒了，這才不是平等。他是什麼根機？能夠聽聞什麼法？能夠書寫什麼法？你給他演說，勸

他正修，不要錯謬；不是甚深的根器，不想成佛，不想達到究竟果位，你給他說甚深的是不可以的。他能夠聞法，也能夠聽聞，也能夠書寫。但是他的目的不同，他所修的解脫也不同，他所修行的總是在有相、有為、執著。

就像菩薩戒跟比丘戒，比丘戒跟沙彌十戒，沙彌十戒跟八關齋戒，八關齋戒跟五戒，這些都是有區別的，不同的。因為他的量只有那麼大，這就是有相的般若。這個般若就有取有捨，執著這是不淨業，我不能去做，這就叫執著。在菩薩他是無著的，那就是真正平等的，那麼這個說聲聞緣覺的著，他不是執著於世間的五欲，他是執著於什麼呢？他執著於法，「我」沒有了，修成功了。我執斷了，法執他沒斷。

雖然他有智慧，但他是半邊的，這叫菩薩的世間般若。菩薩要具足兩種般若，這個般若就跟聲聞、獨覺乘共有的，他們也是依著這個學，也如是證得。菩薩雖然也依著他學，是為了學完時利益眾生的，不是自己受用，是他受用法。這個不能叫做大甲胄輪，沒有這個輪的力量，不名為菩薩摩訶薩。

這個不算是入到大菩薩，不能稱菩薩摩訶薩，也不能給聲聞獨覺作真實的福田，這是菩薩的世間般若。

般若有兩種相，一者世間，二者出世間。出世間菩薩般若，「謂諸菩薩精勤修習菩提道時」，這個標題就不同了，他是修行菩提道，在因地的時候依菩提道而進修；在果地證到菩提果，「隨力讀誦聽聞書寫」，就是他的力量，就是智慧力，有好大的智慧力，就能學習那一法的。學完了之後就為了利益眾生，給眾生演三乘正法。

「而於其中依無所得方便而住，無所行動，無所思惟，無有根本，以如虛空心，普寂滅心，無增減慧無取著心，無生滅心，無退轉心，法平等心，真如心，實際心，法界心，無我心，無分別心，寂滅安忍離分別心。」這一共有十二心，菩薩所證得的根本智，他要依根本智而生起後得智。菩薩要有方便善巧，在根本智上的方面，二乘人只證了一半，沒有方便善巧，因為他不能度眾生，產生不出那方便善巧。

怎麼樣方便善巧呢?菩薩是度眾生不見眾生相，眾生應以何機得度就現什麼機，乃至這個眾生應該布施他一點錢財，或者應該布施他點法。菩薩就應該給他布施點錢財或法，那也不能讓他持戒，給他受戒，讓他行大忍辱般若行，他做不到，沒有這麼大的力量。雖然是種種作而無所著，無所行動都是無所著的意思，要度眾生不見眾生相，也不表示自己是能度眾生的；也沒有我所度的眾生者，不著，這叫三輪體空。後面這個心都是形容在你度生境界上，你是用什麼心；相反的，就是依著真如的般若智慧。

我們無所行動，我們也沒有度眾生。一切眾生無所思惟，就是空義，證得寂滅了，空義了。我們有所思惟沒有?我們的思惟都是妄而不是真，菩薩的真思惟是不思惟，但是不是沒有思惟，大乘的意思就這個涵義。說沒有根本，是說他不依於什麼、執著什麼，是這樣說根本；你想諸佛成道的時候，他並沒有說依著法身而修一切行，而成就報身，依著報身而成就化身，並沒有這樣說法的，他是智慧的顯現。為什麼呢?他的心像虛空一樣的，沒有作用，虛空有什麼作用？虛空沒有作用。

「普寂滅心」，讓眾生都能得到寂靜，不躁動。他對於慧，在凡不減，在聖不增。般若慧在凡不減，本具足的般若智慧，本具足的諸佛法身德相，成了聖果，究竟成佛了也不增。諸位道友，我們講《心經》，大家都知道不增不減，在凡的不減，在聖的不增，這種智慧心就是沒有取著，不執著，不執一切法。他不但不執我，一切法都不執著。這是到了不思議的妙境界，妙慧地。看一切法都是無生無滅的，我們看一切法是有生有滅的，有增有減的，所以我們就不能入。我們幫助別人的時候，幫助得不徹底，只能種個善根而已；不能解決問題，不能讓他斷煩惱，也不能讓他證菩提。

因為菩薩心如虛空，永遠沒有退墮的，這是指登地的菩薩，大菩薩證了般若智，永遠不退墮，八地不動地就再不退墮了。法平等心，一切諸法平等平等，無染無淨，不增不減，不生不滅，這就是法平等心。這個心是真實的，是真如心。

我們講「實際理地」，那名詞就是形容法身的，而「實際心」，「法界心」，「無我心」，這個「無我心」加上一個區別。「無我」，二乘人也應達到「無我」，他是「小無我」；「無我」也沒我所有的境，心能轉一切境，心能轉一切法。這一切法上都「無我」，無有分別心，沒有染淨大小，沒有長短方圓。

寂滅安忍，寂靜不動，不來不去，所以沒有分別心。「善巧安住無成壞地」，很方便善巧的成壞平等。剛才講平等，就是成就與破壞，他把兩個看成平等的。

還有這種分別，一個東西成就了，不願意去破壞它，這就有分別心，不能看得平等平等；如果看平等了，是不是要破壞呢？平等，更不破壞，一切諸法安立，說世法諸法位，世間相常住。每一法就住在每一個本位上，這種相常住的，一切的法，他都不壞法的本位，這就世間相常住。常住的意思，並不是認為花永遠是開的，這個常住是指相續不斷的，相續常住。

所以《金剛經》講，無我相、無人相、無眾生相、無壽者相，那個壽者相就是相續不斷；壽命相續不斷，並不是我們要活一萬億歲，不是那個意思。我們這一生來了，那一生又來了，你在三界流轉永遠相續不斷，是這個意思。「善巧安住無住無著勝妙慧地」，這是真正的般若，這個般若是什麼樣子呢？「無取無著，是名菩薩出世般若大甲冑輪」，若是菩薩成就了這個輪，從他最初一發心這個輪能摧毀一切，每段經文都這樣說。十甲冑輪都是這樣。

「善男子，若菩薩摩訶薩成此般若大甲冑輪。從初發心，一切五欲皆能除斷，得名菩薩摩訶薩也，超勝一切聲聞獨覺，普爲一切聲聞獨覺作大福田，一切聲聞獨覺乘等皆應供養承事守護。」

他一發心，就能夠除斷五欲惑，「一切五欲皆能除斷」，這就是大菩薩，得名菩薩摩訶薩。大菩薩，從他一發心的時候就「超勝一切聲聞獨覺」，這必須依著教義講，你才能懂。因為他從十信滿心，那個十信的心是什麼境界呢？是願心，願度一切眾生成佛，他不但發了這個願，而且照這個做，所以他就是發菩提心，度一切眾生。十信心，按著《華嚴經》講，是很深刻的。

凡夫發心，最初的念心，他念念不退，念念不離三寶。覺知前念起惡，止其後念不起，這是信位。有信的菩薩，真正的發了信心，我們可以觀察自己是不是這樣？如果這樣，入了信位，一心、二心、三心、四心。這四個慧心，有願心，有護法心，到了第七信是護法。怎麼樣護法呢？要是有人毀謗三寶，我能夠捨掉我的身命護持三寶；聽見毀謗三寶，我用我的身命保護法，保護佛，我們做得到嗎？這是第七信心。第八是迴向心，迴向給一切眾生。我們所做的一點點好事都迴向給眾生，這樣到了發心住的時候，登了初住，十信滿登發心住了，這個一發心就發大心了，就能給一切聲聞獨覺作福田，也能給一切聲聞獨覺作所依，讓他勸發大乘。這是般若的大甲冑輪。

「復次善男子，菩薩摩訶薩復有善巧方便大甲冑輪。若菩薩摩訶薩成就此輪，從初發心，一切五欲皆能除斷，超勝一切聲聞獨覺，普爲一切聲聞獨覺作大福田，一切聲聞獨覺乘等皆應供養承事守護。云何名爲善巧方便大甲冑輪？善男子，菩薩善巧方便有二種相，一者世間，二者出世間。云何名爲菩薩世間善巧方便？謂諸菩薩或爲自利，或爲他利，或爲俱利。常懷彼此，示現種種工巧伎術，爲自及他得成熟故，承事供養諸佛世尊，或諸菩薩，或諸獨覺，或諸聲聞，或母或父，或諸病者，或諸羸劣無依怙者，若見厄難臨被害者，種種勤苦方便救濟，以四攝事成熟有情，是諸菩薩自住大乘，於諸聲聞，及獨覺乘，非大乘器，若諸聲聞及獨覺乘根未熟者，爲說微妙甚深法教令其修學，或勸勤修諸聖靜慮，或爲開示最勝義諦，勸令修行超四顚倒，覺悟四種無墮法性，或令趣入四無礙解，或復乃至勸令安住四念住，四正斷，四神足，五根，五力，七等覺支，八聖道支，有餘無餘道及道果，趣入巧智令其成熟。若諸有情貪求名稱利養富貴，諸根躁擾，善根未熟，勸令讀誦諸阿笈摩，及毗奈耶阿毘達磨。或勸讀誦除佛所說順解脫論令其成熟，若諸有情不樂布施，勸令惠捨種種珍財令其成熟。若諸有情暴惡不仁，勸令修學四種梵住。若諸有情心多忿恚，勸令修忍。若諸有情心多懈怠，勸修精進。若諸有情心多散亂，勸修靜慮。若諸有情具足惡慧，爲說正法，謂以記說教誡方便令其成熟。若諸有情不敬三寶，具無依行，勸受三歸，令敬三寶，或勸受學近事律義，或勸受學近住律儀，令其成熟。或勸修習種種工巧伎術業處，令其成熟。如是等菩薩摩訶薩種種世間巧方便智，過殑伽沙菩薩摩訶薩，以是一切書論工巧伎術業處，加行精進巧方便智，摧伏一切外道異學，如是名爲菩薩世間善巧方便，此巧方便，共諸聲聞覺乘等，亦作一切佛法依因，亦是善巧諸行依處，亦是善巧任運無思滅退墮法。」

只有般若智不行，還得有善巧方便。這就講到「五明菩薩」，「五明菩薩」是工巧明，看病不是犯戒嗎？菩薩不是這樣，他醫方明，得有智慧，方便善巧，不寡慧，得有明，得有大智慧來做這些事。成就善巧方便輪的時候，一發心五欲都除斷了，要超過一切聲聞獨覺，而且能給聲聞獨覺作大福田。

「示現」這兩個字不是實有的，而是示現的。善巧方便，就要工巧技術。這工巧是為了承事供養諸佛世尊，或供養諸佛菩薩，或供養獨覺，或供養聲聞，或自己的父親，或自己的母親。「或諸病者，或諸羸劣無依怙者。若見厄難臨被害者，種種勤苦方便救濟。」這就是方便善巧，那麼就用四攝法成熟有情，菩薩就現種種身。第一個就是布施，布施到什麼程度呢？要內施、外施、內外俱施，一般的錢財不算，連妻子兒女都可以布施，何況房舍乃至於田園，都能布施，這是「外施」。

「內施」，包括自身眼、耳鼻、舌、身、意都可以布施，布施給眾生，這叫布施。「同事」，示現跟作同等的事情，或者他當公務員，你也當公務員，他在那兒打工，你也在那兒打工，你跟他才能接近。這就是「示現同事攝」。「布施」、「同事」，做一切對眾生有利的事情，叫「利行」。還得說「愛語」，跟任何人都不能說很粗硬的話，見誰都攝受這「愛語」，這叫「四攝法」。

「四攝法」，要大菩薩才能做得究竟，文殊菩薩是什麼都示現，羊、牛、馬都示現。大家看看各大菩薩的感應錄，示現不同的眾生，這是菩薩。

「自住大乘」，這不是說見一個眾生也把他攝到來住大乘，這是不可能的。我們有些道友發心，只弘揚《華嚴經》，不講三乘法，你來聽，就是機來找我，我不去找機。眾生得求我，我給他說，不求我，我不給他說；說了，他懂不懂，那是他的事，不關我的事。現在我們弘法的情況，是這樣的情況。

但是菩薩弘法的情況就不是這樣，菩薩他自己住大乘，他對於聲聞、獨覺，那不是大乘器，你要給他說甚深的微妙法，教他修學，這是不可以的。面對不是大乘器的，他那根器還未成熟，或者他的聲聞獨覺乘根器成熟了，只能給他說聲聞獨覺乘法；可是大乘根器的還沒有成熟的時候，還未進入大乘的時候，你就給他說微妙甚深的法，教他修學，這是錯誤的。

菩薩的方便善巧怎麼樣用呢？他不是大乘器，你想把他轉入大乘，那就慢慢的引誘，不是一下子能夠成熟的。他對於獨覺乘的根，或者聲聞乘的根，還沒有成熟，他不是聲聞也不是獨覺；你就漸漸引誘他，給他說這微妙甚深的法，教他修學，或勸他勤修諸聖靜慮。一切初果的聖人都算是聖人，在小乘，初果算聖人，大乘不是四果也不算聖人。

讓他修習定，修三昧，乃至於九次第定，為開示最勝的義諦，漸漸的開示最勝義諦。這個最勝義諦有幾種？四聖諦都算是最勝義諦，對世間法，勸令他修行超過四種顛倒。

「四顛倒」，常樂我淨是佛的四德；但是眾生顛倒過來了，無常計常，無我計我，不樂計樂，不淨計淨，那麼苦空無常，這四種都給他顛倒了，要勸他超過這四種顛倒，超過凡夫，達到聖人的境界。

「四種無墮法性」，有哪幾種？有的是菩薩的四種行門，第一個到彼岸，神通行，成熟有情行，就是菩薩行利益眾生所成就的四種道，這就是令他趣入四無墮性。

另外的是「四無礙解」。「四無礙解」就是「法無礙」，「義無礙」，「詞無礙」，「辯才無礙」。「辯才無礙」就對一切法，他都是通的，沒有障礙就是說沒有不知的。菩薩善巧方便就是世間法也如是。所以佛最初就是說射箭、伎藝，不論什麼世間的工巧明，一切工巧都能做，而且超過眾生，都是第一。

「四念處」、「四正斷」、「四神足」、「五根」、「五力」、「七支」、「八正道」，這些名相我們講了很多。「有餘無餘道果」，「有餘無餘」就是「有餘涅槃」、「無餘涅槃」。

「道果」就很多，初果也是道果，乃至菩薩的道果，究竟的佛果。但是菩薩以善巧方便智，令他們都能成熟，他是那一類的機就成熟那一類的果，漸漸引誘他，但是必須有善巧方便去攝受眾生。

「若諸有情貪求名稱利養富貴，諸根躁擾，善根未熟」，前面是講善根熟的，這是善根沒有熟的，也勸令他「讀誦諸阿笈摩」，就是《阿含經》。「及毗奈耶」，就是《律藏》。「阿毘達磨」就是《論藏》，勸令他們讀誦經律論三藏。

或勸他「讀誦除佛所說順解脫論令其成熟」。勸他們讀誦什麼呢？佛所說的順解脫論，這是世間法。除了佛所說的，雖然不是佛教的，是世間法，也可以讓他學，令其成熟工巧。

受三歸就是歸依法，不歸依外道典籍，那麼，這個菩薩就說了，那不是佛所說的，只要順我們的解脫理論，那個論的意義不違背解脫，也能夠得解脫。像我們世間法有很多，像道教的，那也是修行的法，在社會上說，不防礙人家，「己所不欲，勿施於人。」這跟我們佛教的慈悲有什麼差別呢？你自己不願意的事，不能加著別人身上，這叫順解脫，但是不是佛所說的。

這類的事情很多，令他成熟，對他成就修道是有幫助的。這是勸他的意思，他學佛信不進去，可以用世間法引誘他，這個菩薩不是出家的菩薩，出家的菩薩就不可以了。菩薩包括四眾弟子，乃至包括一切的眾生。大菩薩示現鬼道的很多，主命鬼王，在《地藏經》的八品，他要成佛，佛就給他授記，他是鬼，那是到那個道去了。他示現的這例子太多了。

對於不樂布施的，就勸他行布施。「勸令惠捨」，你要捨，要施給眾生的恩惠，這跟佛講的就不同了。我們佛弟子布施了，不望回報，現在的人你叫他捨的時候，他會有所希求。做好事，勸他為善最樂，這也是順解脫。這樣使他能夠惠捨種種的金銀財寶，令他漸漸成熟了。

「若諸有情暴惡不仁」，暴惡不仁，一點仁慈心沒有，國王施暴政的，暴惡不仁盡做惡事，那麼就勸他「修學四梵住」。

什麼是「四梵住」呢？「四梵住」就是說四種清淨行。哪四種呢？慈、悲、喜、捨，也就是四無量心。一修慈，就暴惡不起來了，修慈悲就對治暴惡的。

「若諸有情心多忿恚」，容易發脾氣，勸他修忍辱。

「若諸有情多懈怠」，要勸他修精進。我們這麼勸他，他就精進嗎？所以這得大菩薩，要有善巧方便，他不像我們這麼直接，看見懈怠的就直接說，你得精進，你得修行，多念佛有好處！他才不理你，他翻眼皮瞪你兩眼。你得要有善巧方便，為什麼要善巧呢？你沒有善巧，攝受不了他的。

現在有些人，見一個人剛信佛了，就勸出家，我收你，你出家才能精進。是這樣嗎？出了家，不精進的太多了；出了家，他認為自己成就了，就懈怠了。我們前面講，能夠被片袈裟，那袈裟是佛的加持，不是說你這個人，不是我們前面看到，被片袈裟就得度了，得度？照樣的下地獄。人家恭敬的是那個袈裟，那個袈裟代表佛，代表法，代表大眾僧；你理解錯了，勸人修精進，必須得行正門，你得有善巧方便，引導人家，他自然就會精進。等根器成熟，自然到了那個時候，他出了家，就能悟道。

現在你度了好多的出家人，不但沒有悟道，反而把他耽誤了，他造了些罪。因為他出家之後，不能好好修行，那是做罪的。本來是清淨常住，反過來就不同了。這必須知機，對懈怠，勸他精進，是對的。你要是不精進，有些什麼過錯？就是你做一半事情，你要是不專心去做，一事無成，何況修佛法呢？這樣慢慢的勸他，不是用言語就把他能打動的，還得自己帶頭去做。

菩薩度眾生，眾生也幫助他。你們歸依我，一直跟著我拜懺，大家可以懈怠一次，不去拜；我今天很累，休息要告個假。我從來不敢告假。我一天不拜，別人也不拜；我要是一不拜，幾天不拜，大家都不拜。在紐約和三藩市這這樣；但是我很少不拜的，自己立個行，要精進。

我們的心，有時候心多散亂，散亂了就要修定。定怎麼修呢？等我們講完了，會講數息觀，你從最初開始修，你能進入。別看我，數出入息，這有什麼功德？這個功德可大了，你要定個時候，在定中念佛，那是不可思議的。沒有散亂，沒有昏沈，沒有擾動，你念就是一心。不是要我們念到一心不亂嗎？沒有說是念到十萬就算數了，念到一百萬一千萬，你也生不到極樂世界，得怎麼樣念呢？一心不亂。對著散亂，要勸他修靜慮。

「若諸有情具足惡慧」，惡慧就是邪知邪見，他的問題總跟人家不同，有所出入。人若說東，他一定要說西，他跟你不同的。若邪知邪見，怎麼樣對治他？「說正法」，你要把佛的教誡，諸大善知識、諸大祖師的教誡，你拿方便來給他引誘，令他成熟。

「若諸有情不敬三寶」，我們前面講的無依行，「無依」，他沒有依，無依者就是不敬三寶。我們勸他受三歸，要歸依三寶，令他恭敬三寶；或者叫他學近事律儀、五戒、三歸五戒，勸他修近住律儀，也就是八關齋戒。

八關齋戒應該是九戒，我們認為八關齋戒，只有八戒。〈西遊記〉上講，陪唐僧取經的豬八戒，就是八戒。其實那八戒還有一齋，過午不食，齋者是期限的意思，所以應當是九個，八關為什麼叫關呢？關閉諸惡趣門，一切惡趣門就關閉了，你受了這麼一天，八關齋戒就把惡趣門都關了。

我看很多受了八關齋戒的，有很多還是很嚴謹的，他過午就是不喝，帶顏色的水，佛制是不能喝；說喝牛奶、豆漿，不但不許，就連有顏色的水，喝茶也不許。喝茶水，喝果汁，不都是水嗎？不行的，只能喝水。但是這其中有開緣，要受戒要先學開緣，我們都要找方便，說我們支持不了，身體弱，或者是我受了過午不食戒，但是有病可以開，過午飲漿。

「或勸修習種種工巧伎術業處，令其成熟。」土工、泥工，凡是一切技術都可以，這叫菩薩的世間工巧明。工巧明就是菩薩的方便智，在世間上具足了方便善巧智的這些菩薩，像恆河沙數那麼多，大菩薩，他是以書、論、工伎巧，以這個業來進行增長、精進巧方便智。外道會的我都會，這得大菩薩，不但會而且超過他，他才能服你。他會那一行，你就會那一行；你到那一行，你就是第一，他就得跟你學。這必須大菩薩才有那種智慧善巧方便智，可以降伏一切的外道，這就叫菩薩的世間善巧方便。

此巧方便，共聲聞獨覺乘等，聲聞獨覺乘都可以能學，都能做得到的，也可以這樣做，這就叫給一切佛法作依賴之因，依佛法僧而種的一個因。一切的善巧方便就是他所行的處，所依的處，亦是善巧任運，無思滅退墮法，這個就不容易。無思滅永遠不退墮，無退墮法，這就是善巧方便。任運，就是自然，看一切法在生滅當中，他就能在一切法上引入回歸法性的理體，在生滅當中引他回到不生滅，到了不生滅才能無退墮，但這個不容許，下面就說了。

「又善男子，若諸菩薩不依明師，不依善友，修行世間善巧方便，是諸菩薩愚於世間善巧方便，向諸惡趣，不能隨順安住出世巧方便智，亦非一切眞實福田，不能善巧知諸有情根行差別。以於善巧方便愚故，爲諸聲聞，及獨覺乘，非大乘器，及於大乘根本未熟者，宣說大乘令其修學。又爲大乘法器有情，宣說聲聞獨覺乘法，令修聲聞獨覺乘行，爲獨覺乘法器有情，說聲聞乘，令其修習聲聞乘行，爲聲聞乘法器有情，說生死法，令其愛著，不爲宣說厭生死法。又於善巧方便愚故，若諸有情樂行殺生，廣說乃至執著邪見，爲彼宣說甚深大乘，不爲宣說生死流轉，死此生彼，衆苦果報，令其厭怖，離諸惡法。又於善巧方便愚故，乃至若諸有情樂修淨戒，令修布施，若諸有情樂修安忍，勸捨安忍令修淨戒。若諸有情樂修精進，勸捨精進令修安忍。若諸有情樂修靜慮，勸捨靜慮令修精進。若諸有情樂修般若，勸捨般若令修靜慮。如是菩薩愚，於世間善巧方便，不能眞實利樂有情，與諸有情爲惡知識，此巧方便依有所得有所執著，如是名爲菩薩世間善巧方便，如是世間善巧方便，共諸聲聞獨覺乘等，此不名爲大甲冑輪，亦不由此名爲菩薩摩訶薩也，及名一切聲聞獨覺眞實福田。」

在善巧方便裡頭，我們隨順世間法而能轉世間法，你隨順世間法卻被世間法轉了，那就不是大菩薩了。

這個善巧方便智，你必須是真實的通家。所謂通家者，經、律、論，無法而不知，無法而不曉。真正通達了，因為這個根機，就這樣的來攝受他，他才能入佛道，這等於是菩薩先以欲鉤牽，漸令入佛道。不止這個，還可以用五欲引誘他。世間上都貪財愛色，這兩者是一切眾生的通病。菩薩就示現滿足你，又示現生滅無常，你貪到了，又沒有了，你馬上就醒悟了。他是這樣來度你，大菩薩才有這個方便善巧。

像大家所熟悉的道濟禪師，瘋瘋顛顛的，以酒度世，用瘋顛濟人，他裝瘋賣傻，就去度人家。人們為什麼那麼恭敬他呢？他認識真實處，還能夠解決你的一切困難。如果你沒有善巧方便智，不能解決眾生的痛苦，你這個善巧方便智就落於愚癡，這就不是智慧，而是善巧方便愚，不是善巧方便智；這就是向諸惡趣，不是向諸善趣，不能隨安住出世間的巧方便智，不能隨便善巧的方便智。

前面講了，你說這些法可以，但是得順如來故，能夠像如來所教導的，能夠得解脫，你違背那個，就不順法性，成就不了。你也不能夠作真正的善知識，也不能作真實的福田，不能夠善巧方便。你沒有這個智慧，不知道眾生的根性差別，他的行為，一切差別相，你不知道，你怎麼度他？沒有辦法度他，這叫善巧方便愚，愚癡的愚，這個不是大乘器，連聲聞獨覺也成不了。

因為善巧方便愚，面對三乘的根機，你顛倒說法。他是聲聞的種性，你卻給他說世間的恩愛，不給他說知苦斷滅，不給他說厭離生死法；對緣覺乘法，不給他說因緣法，反而給他說大乘法；對大乘的根器又給他說聲聞緣覺法，說生死法，苦集滅道。這是不可以的，這叫顛倒，也就是善巧方便愚，這不是善巧方便。

「若諸有情樂行殺生，廣說乃至執著邪見。」這是殺盜婬妄酒，說五戒的話，這個有情能夠理解的，就是世間的五欲。面對五欲，你應該給他說斷欲法，了生死法，像五欲怎麼害人？怎麼對你不好？這就對他的機，你給他宣說甚深的大乘法，不給他宣說生死流轉法。

「死此生彼，眾苦果報」，你說這個他能厭怖，你們依諸法都皆空的，正投其所好。他說原來是空的，更加勁幹了；他就執著五欲境界，這就不是方便善巧智，這都叫善巧方便愚，不是智慧。對這個有情，他樂於殺盜婬妄的，你給他說，這個要墮地獄，要離開這些惡法，那才對。但是你給他說大乘法，說空義了義，那就錯了。乃至於在六度萬行當中，他本來是喜歡持戒的，你卻給他說布施；本來他樂意修忍的，你卻要他持淨戒，這就是說法不對機。若諸有情樂修精進的，勸捨精進令修安忍，人家在那兒很精進修行，你勸他把這個捨了，你要修忍辱，這就是法說非法，非法說法。

若諸有情樂修靜慮的，想修定的，勸他捨定令他修精進。那麼若諸有情樂於修般若的，勸他捨般若令修靜慮，他要修智慧，你讓他去學定，兩個都不成。「如是菩薩愚」，這個菩薩就相當愚癡，不是菩薩，於這個世間的善巧方便，「不能真實利樂有情」，菩薩的善巧方便是為了利益眾生，你這樣一顛倒，眾生就得不到利益，那不是有情的善知識，而是有情的惡知識。

「此巧方便依有所得有所執著」，依這個善巧方便，因為行這個善巧方便就能得道，就執著這個善巧方便。「如是名為菩薩世間善巧方便。」這不是出世間的善巧方便，有得就有失，有得就有不得，這是相對法，所以這是錯誤的，不叫大甲冑輪，「亦不由此名為菩薩摩訶薩」，這就不是菩薩摩訶薩。

「云何名爲菩薩出世善巧方便？謂諸菩薩但爲利他不爲自利，示現種種工巧伎術，爲成熟他承事供養諸佛世尊或諸菩薩，或諸獨覺，或諸聲聞，或母或父，或諸病者，或諸羸劣無依怙者。若見厄難臨被害者，種種勤苦方便救濟，以四攝事成熟有情，隨其意樂，隨其根器，爲諸有情宣說正法。又能漸次勸諸聲聞修獨覺乘，勸諸獨覺修習大乘。若於聲聞及獨覺乘根未熟者，爲說厭離生死苦法令其修學，厭離生死，欣求涅槃。若諸有情樂行殺生，廣說乃至樂著邪見，隨其根性。或爲宣說生死流轉，死此生彼，眾苦果報，令其厭怖，離諸惡法。或爲宣說與聲聞乘相應正法，或爲宣說與獨覺乘相應正法，或爲宣說無上乘中淺近之法令漸修學。若諸有情已樂布施，爲說勝上受持淨戒令其修學，廣說乃至若諸有情已樂靜慮，爲說勝上無漏聖道所攝般若令其修學，此巧方便依無所得無所執著，如是名爲菩薩出世善巧方便大甲冑輪。善男子，若菩薩摩訶薩成就如是善巧方便大甲冑輪，從初發心，一切五欲皆能除斷，得名菩薩摩訶薩也，超勝一切聲聞獨覺，普爲一切聲聞獨覺作大福田，一切聲聞獨覺乘等皆應供養承事守護。

爾時世尊重顯此義而說頌曰：

所修慧有二　世間出世間　取著名世間　無取著出世

修善巧方便　依二種差別　有所得世間　無所得出世
若唯說一乘　是名惡說法　不能自成熟　亦不能度他
一向惡眾生　爲說三乘教　是則爲愚癡　不名摩訶薩
有堪趣三乘　欣求聞正法　爲說樂生死　非爲智者相
專意諦思惟　隨根欲教化　此善巧方便　智者所稱譽
眾生雖有惡　而堪入三乘　隨根器教導　令解脫眾惡」

前面講的是雙重關係，為自利利他。這裡不是，這是出世間菩薩的善巧方便，專為利他不為自利。他也「示現種種工巧伎術，為成熟他承事供養諸佛世尊」。那麼，這大菩薩全為利他，不為自利，示現種種工巧伎術，他的目的，就是承事供養諸佛。

例如，我們看見拉薩的喇嘛，他們拿酥油糌粑，能做很多的花，能做壇城來修道，他也沒有什麼名，沒有什麼利，壇城立在那兒，誰也不知道是哪個喇嘛做的。這是沒有記名的，也得不到財的，什麼都沒有，這是給寺院打工，打工是沒有代價的。這種工巧全為利益人，供養諸佛的，也不是利益人，都是供養諸佛。

有厄難了，這位大菩薩就示現種種勤苦方便救濟他，跟他接近，使他能夠改變。但是你必須有智慧，你沒有智慧，怎麼行呢？

像濟公救那個賣狗肉的故事，那個賣狗肉的，他每天都殺狗，對他母親非常不孝，經常罵他母親，打他母親。有一天要宰一條母狗的時候，不知道是什麼東西忘了，出去再回來，他的殺狗刀不見了，怎麼找也找不到，裡頭外頭都找，他就罵他媽媽也去找，他媽媽根本沒看見，最後找到了，看見那小狗在跟前橫著。他踢那小狗一腳，他這一踢，把小狗踢跑了，小狗底下有把刀，小狗就拿身子把宰狗的刀壓在下面。當時他還是把這條母狗宰了。

不過，他心裡很慚愧。他說：「我要殺牠的媽媽，這條小狗都把這個刀藏起來，用牠的生命掩護起來。我是個人，我對我媽媽這麼不孝！」他就給他媽媽叩頭懺悔。他說：「媽媽，我們今天把狗肉賣了，再不做這個生意，另外找個職業，以後我要好好孝敬您。」

本來他應該受「五雷轟頂之報」。所謂「五雷轟頂之報」，就是指死在金、木、水、火、土五行當中。當他推著車出去，想解大手，他那個狗肉車子停在路上，解手得跑個僻境地方，他就跑到一片土墻旁邊，人家看不見的地方蹲著解手。他一邊解手一邊看著他的狗肉車。那濟公是有神通的，知道他快要被壓死，因為他一念的孝心，就把他的罪惡消失了。濟公來了，就把車子推走，他就焦急了，「這是最後一次，就這麼一點本錢，你給我推跑了，我怎麼辦？」他大便也不解了，把褲結了，他說：「師父我供養你狗肉，你停下來，這是我的本錢。」他一直在喊，濟公把車停下來，他說：「大師，我謝謝你。」但是他剛一跑的時候，他蹲的土墻就倒了，嚇得他一身冷汗。他說：「師父我要謝謝你，我這個狗肉給你一半。」他說：「我不要你的，我只是幫你賣。」

濟公就幫他賣，過路的人都買。他說：「今天我們提高三倍價錢！」「三倍價錢能賣得到嗎？」濟公說：「你不要管，我來賣。」那濟公一念咒，在這兒過的人誰都買，聞那個狗肉香的不得了，他就買，一下子就把這車狗肉賣完了，那錢很多，多了三倍，本錢更大。他說：「大師，我怎麼謝你？」他說：「你不要謝我。一念孝心起，今天早晨你跟你媽媽懺悔，這是孝心的感動。」

如果你沒有這個善巧，你救不了人家，讓那個牆砸死，砸死不就墮地獄去了！還沒有等到懺悔，他的殺業那麼重！菩薩度眾生得有本事，那種善巧方便不是我們這種善巧方便，我們的善巧，不是善巧，簡單說是為了自利，不是為利他，這個道理一定要懂。不能藉口幫助別個道友，你存的是什麼心，確實純粹為利他，對自己毫無是處，這是菩薩真正的發心。

我們這樣學，你做一件事一定觀照你的心，從什麼地方產生這個心，你離開貪瞋癡愛，這是很關鍵的。菩薩做愚癡的，「種種勤苦方便，救濟一切眾生」，用四攝法成熟有情，四攝法是布施、同事、利行、愛語，隨眾生的意樂，可不是隨你的，你的心裡想怎麼樣，就想怎麼做。現在利益眾生的菩薩，以為自己想怎麼做，大家就得聽我的，這完全錯了。宣說正法，要隨他喜歡什麼，給他說什麼，那一法他能得度，因為能漸次的勸諸聲聞獨覺乘，勸他們迴小向大，勸諸獨覺乘修大乘，勸聲聞乘要進一步修獨覺乘；他要是聲聞乘的根器，令他修學，厭離生死，就求涅槃，求不生不死。

「若諸有情樂行殺生，廣說乃至樂著邪見」，殺盜婬妄，這是五根本的。「隨其根性」，就為他宣說生死流轉。「死此生彼」，那個眾苦的果報，讓他生起恐怖感，生厭離感，離開這些惡法，你就給他宣說與聲聞乘相應的一切正法，或為與獨覺乘相應的正法。大乘根機的，「或為宣說無上乘中淺近之法」，不是一下子就能進入大乘，從初開始，從淺近到那個相似的中等的，最後說最上乘的。

大家讀〈華嚴三品〉的時候，你可以感覺到，〈淨行品〉，誰都做得到，看什麼念什麼，這叫發心。〈梵行品〉，入真空清淨行，梵行就是清淨行，所作一切都清淨，一切都沒有，甚至於連佛的十力都沒有了。那就空了，那是真正的真空。但是還不夠，〈普賢行願品〉，重重無盡，從空出有，有是妙有，妙有非有，就是空；真空不空，不空就是妙有，這樣反反覆覆的行普賢行，是有階段的。

你若念《華嚴經》，最好選擇這三品，這樣都有了。從善財童子初發心，從十信位開始，一直參到等覺，都參完了，已經到了成佛階段，還不夠，又回到文殊菩薩跟前。彌勒菩薩叫他再參文殊菩薩，他又回到文殊菩薩，以信為根本，「信為道源功德母，長養一切諸善根。」長養成了，又回歸於心。文殊師利菩薩叫他回去重參普賢菩薩，才能究竟成就不可思議的法身佛，也就是報身佛。要這樣才叫做菩薩具足的善巧方便，這個善巧方便，無所執著。說了中淺近之法，之後令他漸漸修學。這個眾生以樂布施，只有布施不夠，還得修持戒，只是持戒還不夠，還得修忍辱，忍辱不夠，還得修禪定。一個一個，讓他修六波羅蜜，讓他證得，但是無所得、無所執著。菩薩是這樣的出世善巧方便，這才是真正的大甲冑輪。

你若修行善巧方便，也依二種差別，有所得世間，無所得出世；世間無所得，就可以出世間。「若唯說一乘，是名惡說法，不能自成熟，亦不能度他。」不說三乘法，只是說大乘一乘法。這個說法是惡說法，不是善說法，自己也成熟不了，也不能度他。「一向惡眾生，為說三乘教」，沒得善根，盡作惡的。你要是給他說三乘法，不給他說淺近的歸依，不讓他行十善法，他怎麼入得到呢？這就叫愚癡。

「有堪趣三乘，欣求聞正法，為說樂生死，非為智者相。」他已經可以了，「堪」是可以，能夠成就趣向小乘中乘大乘，他非常的欣樂，要欣求聞著真正的法。你給他說生死法，為說樂生死，說生死法，生天，做人，種善根，這是生死法，入門的十善法，這不是智者相，不對機。

「專意諦思惟，隨根欲教化。」菩薩度眾生不是那麼隨便的，應當諦思惟，如理的想一想。你不知道他的根機，你可以聽他的發言。你跟他多談一談，他會表達出來的，他會告訴你，他是什麼根機。所以你跟眾生談話的時候，每一個人不會把他所求、所想的寫到臉上。但是，他臉上確實的告訴你，他想做什麼，他也有希望的，你可以知道的。這要善觀察，要善思惟，隨他的根機，隨他的欲望，這樣來教化他，這才叫真正的善巧，這是智者所稱讚的。

「眾生雖有惡，而堪入三乘」，這個眾生是作惡的，就像剛才我講的故事，他是殺狗的，是作惡的，對母親又不孝。但是他過去有善根，現在他的善根成熟了，能放下屠刀，能夠一念善心起了，他的善根生長了，作善的人，行了一輩子善事，到了臨要死的時候，惡性不改，這就是過去的惡很重，障道因緣。

能以這樣的善巧方便，來觀察眾生的機，雖然他過去惡了，但是現在他可以證入三乘。你要教導他，攝受他，令他解脫眾惡。所謂放下屠刀、立地成佛的涵義就是這樣，不能因為他作惡，就不攝受他，不給他說善法，這也是錯誤的，這不是善巧智慧，觀察不到他現在已經成熟了。

「復次善男子，菩薩摩訶薩復有大慈大甲冑輪。若菩薩摩訶薩成就此輪，從初發心，一切五欲皆能除斷，超勝一切聲聞獨覺，普爲一切聲聞獨覺作大福田，一切聲聞獨覺乘等皆應供養承事守護。云何大慈大甲冑輪？善男子，慈有二種，謂法緣慈，有情緣慈。法緣慈者，名爲大慈，名大甲冑，有情緣慈，不名大慈，非大甲冑。所以者何？有情緣慈，共諸聲聞獨覺乘等，聲聞獨覺爲自利樂，不爲有情精勤修習有情緣慈，聲聞獨覺爲自寂靜，爲自涅槃，爲滅自惑，爲滅自結，不爲有情精勤修習有情緣慈，是故此慈不名大慈，非大甲冑。其法緣慈，不共聲聞獨覺乘等，唯諸菩薩摩訶薩眾所能修行，菩薩摩訶薩普爲利樂一切有情精勤修習此法緣慈，菩薩摩訶薩普爲一切有情寂靜，及得涅槃，滅煩惱結，精勤修習此法緣慈，是故此慈名爲大慈，是大甲冑。又諸菩薩修法緣慈，不依諸蘊，不依諸處，不依諸界，不依念住，乃至不依道支，不依欲界，不依色界，不依無色界，不依此世，不依他世，不依此岸，不依彼岸，不依得，不依不得，如是菩薩修法緣慈，超諸聲聞獨覺乘地，是名菩薩法緣大慈大甲冑輪。善男子，若菩薩摩訶薩成此大慈大甲冑輪，從初發心，一切五欲皆能除斷，得名菩薩摩訶薩也，超勝一切聲聞獨覺，普爲一切聲聞獨覺作大福田，一切聲聞獨覺乘等皆應供養承事守護。

爾時世尊重顯此義而說頌曰：

聲聞及獨覺　修有情緣慈　心帶十三過　唯求自利樂
菩薩大名稱　普爲諸有情　修不共大慈　心離十三過
心除十三垢　爲趣大菩提　修法緣大慈　成福田非遠

安住十三力　出過諸有情　猶如師子王　超勝諸禽獸
降伏十三怨　離斷常邊執　心無有染濁　速證大菩提」

什麼是「大慈大甲冑輪」呢？這跟前面是一樣的，慈也有二種。「法緣慈，有情緣慈」，一個是約人，一個是約法。就法來說，這個慈就是大慈，名大甲冑；就情來說，不名大慈，非大甲冑。

為什麼要這樣說呢？「所以者何？」就是徵啟的意思，下面就講了。「有情緣慈」，是跟「諸聲聞獨覺乘等」，跟他們相等的。為什麼呢？因為聲聞乘獨覺乘為了自己的利樂，不是為了有情，他精進修習，不是緣一切有情來修大慈悲心的。

他是為了自己的寂靜，為自己的涅槃，為了滅除自己的惑業，為了斷除自己的結使。結使這個惑，很不容易斷，結使使你煩惱，使你墮落；因為你那個業已經結成了，就解脫不了的。而那個聲聞緣覺乘，他想滅自己的結使，不是為了有情而精勤修習，他是有情的緣慈。

我們再簡單的講，聲聞緣覺乘是不拔眾生的苦。就像目犍連尊者，他是為了救他的母親，才到地獄給他母親送飯，他並沒有發大心給地獄一切眾生送飯。他的心量太小，只為自己，沒有大慈悲心。聲聞乘，不能大慈大悲的，不能夠為了一切有情而精勤修習。他這個慈愛，是有愛的情份，愛就是無明，這種慈，「不名大慈」。

「法緣慈」是什麼樣子呢？「不共聲聞獨覺乘等，唯諸菩薩摩訶薩，所能修行」，這是大菩薩所修行的。他們怎麼樣修行呢？他們普利「一切有情，利樂一切有情精勤修習」的，不為自己，這叫「法緣慈」。他是從法身上緣，這個法當法身講也可以，就是法身同一體故。我跟眾生一樣的，同一體故，我要度他們，自己也在內，這就是「法緣慈」。

從來沒有想到自己，為了要利益眾生，讓一切眾生寂靜，得到究竟定，得到涅槃，滅一切眾生的煩惱疙瘩，給眾生解結。那麼在《楞嚴經》上，「解六結越三空」，「六結」就是「六根」，六根相對著六塵的煩惱都解開，你就達到真空的境界了。真空境界，二乘空，菩薩空，究竟空，畢竟空。你達到這種究竟地，他是滅眾生的煩惱結，他就精勤修習這個「法緣慈法」，這叫大慈，拔一切眾生的痛苦。

三界是屬於生死的，此世就是這一世，他世就是未來。菩薩這個大慈悲，不論未來現在，是三世平等的，三界平等的，一切諸法就是平等平等；沒有此岸，也沒有彼岸，凡是有此岸者生死，彼岸者是涅槃。因為欣樂涅槃而斷了這個生死，出生死苦海。這種發心不大，是泯一切法，泯一切法之後，才能立一切法。空一切法而後才能不空。

我們現在若不空，就是執著；空了之後而再回來，再度眾生，度眾生不見眾生相。你以為這個很簡單，我們就是翻不過來。如果翻過來就太好了，我們都成佛了，就是這樣。看起來很簡單，煩惱跟菩提，生死及涅槃，古人形容，煩惱就是手心，菩提就是手背，就是一隻手而已，沒有其他的。你明白了，就證得了，不明白就耽誤了。那就誤到什麼時候才能明白？看各人的修習，有得，有不得，有得一定有不得。不依著這個而起大慈悲心，法緣慈是平等平等的。所以不依著這些而生起我的慈悲心，這叫法緣慈。

「爾時世尊重顯此義而說頌曰」，這個偈頌我們念一下。「聲聞及獨覺，修有情緣慈，心帶十三過」，要是修有緣慈，會有十三過患，因為唯求自利樂，自己求自己的利樂。

「菩薩大名稱，普為諸有情，修不共大慈」，不共聲聞緣覺，「心離十三過」，「十三過」就沒有了。

「心除十三垢，為趣大菩提，修法緣大慈，成福田非遠」，一定會成究竟福田，成佛不遠了，但是「十三垢」很不容易除。

「安住十三力，出過諸有情，猶如師子王，超勝諸禽獸」，像師子王那樣，師子在獸類是為王的。

「降伏十三怨，離斷常邊執」，這「十三怨」就是斷常邊執所產生的。

那麼「心無有染濁，速證大菩提」。聲聞跟獨覺二乘人，他們修的慈悲是有緣慈悲，可以脫離「十三過」。

「十三過」，在〈瑜伽師地論〉九十九卷，提到了「十五過」。依著這個十五過失，中間有可以合攏的，我們把這十五過失先念一念。

「一者四重過失」，「二者猛力禪過失」，「三者匱乏不足喜過失」，「四者他所羈過失」，「五者無正信背令不信」，「六者有正信者令其變異過失」；五、六這兩個可以合成一個。就是令這個有正信的人，不能增長信心，反而使他信心退，這是一種過失。

你所做的事業，你這個慈悲本來是好的，但是別人譏諷你，甚至於同道也責備你。你本來是出自慈悲心，別人認為你還有別的目的，這是一種過失。「多財寶多諸事業過失」，財寶太多，犯罪的，說事業做太多，也是不可以的。

「染著過失」，「惱他過失」，「發起疾病過失」，這是我們所不能避免的，誰也不願意害病，但是你生了疾病。我們為什麼會生疾病？病從口入，吃多了，少吃一點就好了，這類病很多。

「障往善趣過失」，這個過失就多了，我們有時候感覺著佛菩薩好像就在眼前，心裡有時候在用功用得相應的時候，就感覺好像佛菩薩對自己很近，心裡生起大歡喜。

有時候你用功，用了十年、八年，好像佛菩薩遙遠無邊的，念經也好，持咒也好，好像佛菩薩沒有什麼加持，自己愈念愈迷糊。這個就是障你趣往善趣的過失。

有的過失是，不應庇護的，反而去庇護，這種道理恐怕誰都有，要避嫌疑。應該庇護就庇護，不應該庇護的，就不庇護。我們舉個例子，佛度一切眾生，菩薩度一切眾生，這個眾生是惡心所來的，你說我們應當庇護他，還是不應當庇護他？他生起惡心，不是求法的，你有神通你可以知道，沒有神通，你又怎麼知道的呢？

他懷著二心，或是測驗你，或者考試你。如果你去利益眾生，應當怎麼辦？例如有的眾生問：「老法師，您怎麼修行呀？您都念什麼經呀？」這個跟他有什麼關係呢？知道這些幹什麼？那個法師或者就會產生的問號，你問我這個做什麼？你要測驗我的功夫嗎？但是這個應當庇護？還是不應當庇護呢？得看你有智慧沒智慧，有智慧不庇護他，就會跟他解釋一下，這跟你沒有關係，我修的，你不見得修得成；我修的，你去修不見得靈，也不見得你應該修的。

有些是通的，通的是共的。我修的，你也可以修；但是我修的，你不能修，跟他解釋清楚就好了。有這些過失，你要去利益眾生的時候，毛病多得很。

不應當為依止的，反而為他依止；應當為依止的，你反而不依止，這都是過錯。應該恭敬的不恭敬，不應該恭敬的，你反而恭敬，這些都不是正確的。

「十三過」，在〈瑜伽師地論〉上講「十五種過」，應當伏藏的而不伏藏，不應當伏藏的而去伏藏；應當修習的，你不去修習，不應當學習的，你反而學習。這兩種可以不用解釋，這是「十三過」。

所以你要是有這些過失，就不能達到大慈大悲，大慈悲應該怎麼樣呢？對一切眾生不捨棄，那就沒有這種過失。

這十三個是反過來說的，這是修有緣慈，這些過失會產生什麼呢？為求自己的利樂，只想利樂自己，不利益他人。菩薩是相反的，菩薩是大名稱的，他是普利一切眾生。他修的是不共大慈，不共是不跟聲聞緣覺共，跟一切發菩提心的人共。那麼修這個就沒有這種過失，「心除十三垢」。

「十三垢」，佛學辭典裡有「十四垢」，我把「十四垢」合攏到一起，就是「十三垢」。「四結」、「四處」、「六損財法」，合起來就是十四種垢。

什麼是「四結」？就是「結使」。我們經常念結使，這幾種疙瘩，你要是解不開，會使你造罪的。哪幾種？就是五戒當中的殺、盜、婬、妄，這就是「四結使」，這四種是根本的，一直到成佛，才把愚癡斷了。愚癡就是無明，才把無明斷了。

還有，欲、恚、怖、癡，在一切境上起貪欲，在一切境界上起瞋忿，起恚。恚就是惱害的意思，也就是憎忿、憎恨的意思。還有恐怖，這些就是愚癡；若是不愚癡的人，他沒有貪欲，曉得一切法如夢幻泡影，他不起貪欲，那是幻化的境界，那是騙人的；有愛才有恚，無愛就無恚，也就是沒有情。要是對人類說是無情，好像這個人是冷血動物，是無情的。這個話對嗎？不對，冷血動物也有情，冷血動物並不是沒有情。像魚類，都是冷血動物，海裡頭生的，牠有情，牠對牠的子女，生下來的，牠有愛護，有情。

無情的意思，是對一切法不去執著。有人認為我們佛教的人，一信了佛教，就無情了，情感也不要了。夫妻、父母，什麼都不要了。這個批評是錯誤的，佛不是無情的。學佛的人不是無情的，而是他的情特重了，他不單獨對哪一個，因為對父母妻子有情了，對別人就沒有情了。不是的，他對一切眾生都有情，多情乃佛心，他要救度一切眾生。但是這個情字，有不同的解釋。他有智慧，不執著，他不起貪戀，那麼他就沒有這些毛病。

還有垢染，好喝酒的人，會耽誤很多事。佛為什麼把酒戒列到五戒裡頭呢？在印度發生過這種事情。因為飲酒了，犯婬欲；因為有瞋恨，怕被人檢舉，他就把人殺了，逃跑了；逃跑沒有錢就偷，偷就騙人，說假話，因為喝酒，婬、殺、盜、妄全犯了。在戒經裡有很多這種故事，之所以把酒列成五戒，很重要的原因就在這兒。特別是菩薩，那酒也是根本，他不能賣酒，賣酒的比那喝酒罪過大的多。你迷惑好多人，等於賣毒藥，就是這樣。但是國家的法律沒有制裁，反而鼓勵賣酒，為什麼鼓勵？收稅，酒稅大得很。另外的是放蕩、迷戀之樂，這個分成兩個。迷戀，有如妓院，遊玩場所，遊玩場所就是放蕩的地方。在這個垢裡頭，分成「十四垢」，我把他們合攏了，就是「十三垢」。

還有，跟惡語結合到一起，會引你去做很多壞事，產生過失。還有懈墮，懈怠一定墮落，當你懈怠的時候，你想到這一定是墮落。這是《長阿含經》裡頭說的。

「十三怨」，「十一瞋恨」，加上兩個就是「十三怨」了。惡業猛利，什麼猛利呢？發脾氣的時候，瞋心猛利。當那瞋火制止不下去，瞋恨心來了，什麼都不顧了，乃至於傾家蕩產，亡國失家，都可以的。若瞋恨心來了，非常的猛利。或者被惱，被他人觸動的惱害了。或者抱怨，對我有怨仇，我想報復他，乃至於這本身就是「十三怨」。

「現相」，就是在這個怨恨裡頭現的惡相，叫「現相」。毒害，或者是用毒藥害人家。不斷，這個瞋心不能截止，不斷相續。

「十三力」，是專指西方淨土菩薩說的，具足了十三種力，而且自利利他。

第一「因力」，過去你能夠生到淨土，這是你宿世的善根力。

第二「緣力」，就是善知識的教誨力。

第三「意力」，是如理的作意。

第四「願力」，那是求菩提的力量，求菩提發願，發願成果。

第五「方便力」，一切善巧方便而修自利，或者利他。

第六「常力」，常依著一切佛法而修行，產生力量。

第七「善力」，正修善根力，十善業內的善業。

第八「定力」，就是三昧力量，就是修奢摩他（止），修奢摩他，產生了力量。

第九「慧力」，慧力就是修慧，觀慧所成就的力量。

第十「多聞力」，多聞正法，常聽你才生起智慧；不聽，你怎麼能明白呢？不聽你明白不了，就得多聞。

聞法產生正法，有一種力量加持你，那種力量加持你，你感到佛就在眼前，這力量消失了，佛的力量很遠了。我們念佛念到相應的時候，感覺佛在眼前；一懈怠，佛又沒有了，又消失了。我想每位道友都有這個感覺，當你靜下來，或者念十萬聲念一百萬聲，感覺地藏菩薩確實就在眼前。或者念阿彌陀佛，阿彌陀佛就在眼前。等你一懈怠，這種力量都沒有了，時而很遠，時而很近，這是自己的力量。

第十一「持戒、忍辱、精進、禪定」，這四種把他們合攏起來了，才成一個力量。

第十二「正念」，我們一天起心動念，一定要有正確的念頭，凡是起心動念都是利益他人，不為自己求安樂；這個念就是念佛、念法、念僧，這都叫正念。這個裡頭包括了正觀，諸通明力，就是神通，成就正念。正觀六通三明之力。

第十三「如法調伏眾生，如法調伏剛強眾生之力」。

「復次善男子，菩薩摩訶薩復有大悲大甲胄輪。若菩薩摩訶薩成就此輪，從初發心，一切五欲皆能除斷，超勝一切聲聞獨覺，普為一切聲聞獨覺作大福田，一切聲聞獨覺乘等皆應供養承事守護。所以者何？一切聲聞獨覺乘等，但為己身得利樂故而修行悲，不欲普為一切有情得利樂故修行大悲，菩薩摩訶薩不為己身得利樂故而修行悲，但欲普為一切有情得利樂故修行大悲，是故菩薩成就大悲大甲冑輪，超勝一切聲聞獨覺，普為一切聲聞獨覺作大福田，一切聲聞獨覺乘等皆應供養承事守護。」

二乘人修的悲心，是為自己得好處，單為自己得到利益，這樣來修行悲，這樣的悲心不普遍。我們一般說憐憫別人，或者對事對人而行的大悲，不欲普為一切有情得利益故，修行大悲。只為自己求安樂，不為眾生得離苦，那麼就不能夠去普利一切眾生。這樣去實行大悲，他修法的時候，在用心上，就有了二種不同。所以我們做一件事情，就善用其心。文殊菩薩教導我們善用其心，看你怎麼觀照？一樣事情，你用一文錢去供養布施的功德無量無邊，別人用一萬塊錢布施供養的功德很小很小。什麼原因呢？用心不同。要善用其心，看你怎麼觀，就怎麼做。

一件事情都有兩個面相，你做對了，功德無量；做反了，害處也無邊。殺人放火，普遍認為是罪惡，菩薩有時候要利益多數眾生，對這個眾生的惱害，他制止不了，可以把他殺了，或者放火燒了。但是他是為了利益更多眾生，菩薩不會畏苦的，對這個眾生菩薩還要還他的命債，以後還得把他度了。菩薩不論順逆，都是大悲心，因為他出發點是大悲心，那就是大悲了。只要不為自己求安樂的，讓眾生離苦的，菩薩是這樣成就這個大悲大甲冑輪，他就「超勝一切聲聞獨覺，普為一切聲聞獨覺作大福田」，能給他們作福田，他們在菩薩中可以求得福報。

「是菩薩摩訶薩普爲饒益有情故，行四攝事而成熟之，謂由大悲普爲利樂諸有情故行布施攝，能捨一切珍寶財物，禽獸僕使，國城妻子，乃至身命無所悋惜，行無所得為方便故，不見一切所化有情，不見施者，不見受者，不見施物，不見施行，不見施行所得果報，乃至不見無所得行。如是大悲，普為利樂諸有情故，行愛語攝，行利行攝，行同事攝，隨其所應，如上廣說，乃至不見無所得行，是菩薩摩訶薩，常以最勝能調伏心，能寂靜心，無數量心，不行一切蘊處界心，所生無動無住大悲大甲冑輪，成熟一切所化有情心無厭倦，如是名為菩薩大悲大甲冑輪，不共一切聲聞獨覺。善男子，若菩薩摩訶薩成此大悲大甲冑輪，從初發心，一切五欲皆能除斷，得名菩薩摩訶薩也，超勝一切聲聞獨覺，普為一切聲聞獨覺作大福田，一切聲聞獨覺乘等皆應供養承事守護。

爾時世尊重顯此義而說頌曰：

甚深微妙法　所成之大悲　難測類虛空　無色無安住

菩薩大精進　具杜多功德　勝智成大悲　勇健超諸世
無依怙有情　生死苦穢縛　大悲水沐浴　令解脫眾苦
菩薩行大悲　能竭生死海　非諸聲聞眾　及獨覺所行
眾生貪恚癡　迷謬墮惡趣　濯以大悲水　脫苦得蕭然」

菩薩為了饒益有情，行四攝法，來成熟眾生，成熟有情，使他們成就，離苦得樂。「謂由大悲普為利樂諸有情故，行布施攝」，布施，就是捨物質，或者內施外施，或者捨身體，為了讓他們得到利益。能捨什麼物質呢？一切的「珍寶、財物、禽獸、僕使」，禽獸，就是你喜愛的，像鸚鵡八哥，那是最好的。這是指在家菩薩。禽獸、僕使、佣人，乃至自己國家、國城，妻子都能捨。乃至自身「無所吝惜」，無所吝惜，吝惜就是不捨的意思。他對任何事物自身外身，乃至所有一切都能捨。但是捨的時候，不求果，那麼，無有受者，無有這個施者，乃至於不見施所得的果報。我這麼樣捨將來得到什麼果報呢？沒有果報，不執著果報，不貪求果報，是這樣的來捨。

這裡有個問題，佛在說法的時代，妻子是屬於他自己的，像財產的一部份。可是現在講求平等，妻子有自由，她有自己的權利，我把妳捨給誰？辦不到，現在不可能了。妻子要把丈夫捨了，這也不可能。妳說：「我把我丈夫捨給你，當奴隸去！」妳丈夫不會聽妳的，這是指著過去社會的情形而說的。

他捨自己的身體、財物，屬於自己的部份，可以隨時捨。現在捨國城妻子的，有人問我：「我當國王，我想捨！」你想捨！你的大臣同意不同意？你捨了，可是政府不同意。現在的總統說：「我捨！」你捨總統位，參眾兩院還未通過，你捨了，那是不行的。這個問題得從另一方面看，從內心說，菩薩行道的時候，他心裡如是想，凡是我所貪愛，不論什麼，無貪無愛，一切都可以捨，也就是無所吝惜。

這叫方便善巧，但是捨的時候，也不見我是能施者，也不見有受施者；

還有我所施的物品，還有我施行就是行大悲心，行菩薩道。我施了之後，未來得什麼果報，要考慮這些也不成大悲菩薩了。

令如是的大悲，「普為利樂諸有情故，行愛語攝」。「愛語」，大家都知道了，說讓人好聽的話，不要說讓人家煩惱的話。中國有句格言，「順情說好話」，順著人家的情感說好的，人家都歡喜；「惡語討人嫌」，你跟人家唱反調，人家聽到就討厭你，不接近你，少跟你說話。這個要注意，要使人歡喜，但是你可別違背了三寶意，說的愛語一定要含有出離心。例如說兩性的關係，你跟他說好聽的，讓他歡喜，我幫著你能找到女朋友，我幫妳找到男朋友，這樣是不行的，你當時就犯戒了。所以婬戒裡頭包括很多問題的，每個戒條，要是講起來，你無意中犯的都很多，不過那不是根本，為什麼出家學戒要學五年呢？因為不學，你不知道，你隨意一舉一動都犯戒了。

還有作有利益人的「同事」，「利行同事」，作有利益於別人的事，這樣來攝受別人。你幫人做事，人家當然歡喜，你又不求代價，無所得的幫助誰，誰都高興。但是你隨意做，這也是你大悲心的流露，或者別人在行動上不方便，你扶扶人家，或者負重的時候，負不起，你幫助他一下，這都是有的，這都叫做「利行」，要行對別人有利的事。

「隨其所應，如上廣說，乃至不見無所得行，是菩薩摩訶薩，常以最勝，能調伏心，能寂靜心，無數量心，不行一切蘊處界心，所生無動無住大悲大甲冑輪。」這是他的觀想，菩薩摩訶薩能調伏他的心，不住聲香味觸法，不處一切境界相而能生心，這個是生什麼心呢？「無著心」，「無動心」，「能寂靜心」。沒有數量就是不計較的意思。不行一切五蘊十二處十八界的心，那就什麼都沒有了。我們的一切法色受想行識，眼耳鼻舌身意，這就包括了眼識、耳識、鼻識、舌識、身識、意識，這叫十八界。

大家想一想，離開這個還有什麼？什麼都沒有了。這個所生出來的是什麼呢？這才叫大悲大甲冑輪，這就是應無所住而生的心。這個大悲心是這樣生的，《金剛經》上講，「不住色聲香味觸法生心，應無所住而生其心。」

這個心叫什麼心呢？無心。無心道人，是究竟成就的。

「爾時世尊重顯此義而說頌曰：甚深微妙法，所成之大悲。」什麼是甚深微妙法？就是大悲輪，就是甚深微妙法。怎麼樣達到甚深境界？沒有能施之人，也沒有所施之物，也沒有受施者，也沒有行施之法，一切皆空，這個空就是真空。《占察善惡業報經》的實相，是真如，是這樣空，但是不是空了，我就可以不做？菩薩常時這樣的行施大悲，常時如是空。「難測類虛空」，這種道理，只用臆測是測度不到的，誰能把虛空測量個邊際嗎？把虛空量一量，沒有辦法測量的。「無色無安住」，沒有形色可得，也沒有安住在什麼地方。無處所，無色相，你怎麼去測度呢？這是菩薩的大精進。

「具杜多功德」，一切塵垢都除清淨了，這個功德「勝智成大悲」，以殊勝的智慧，成就這個大悲輪，「勇健超諸世」。這太勇猛了，為什麼呢？空的。勇健也是空的，這上面所說的都是空的，空而不礙有。所以他的妙有而生大悲，這個大悲是不可思議的。「無依怙有情」，沒有依怙的有情，沒有人照顧的有情，他就照顧他們，在這個「生死苦穢縛」，被生死苦、污穢不淨的一切諸業所纏縛的，菩薩就用大悲水沐浴一下，把這個洗乾淨了，解脫一切諸苦難。

「菩薩行大悲，能竭生死海，非諸聲聞眾，及獨覺所行。」菩薩那個大悲心，能使一切眾生的生死海枯竭，那不是聲聞跟獨覺所能做得到的。「眾生貪恚癡」，就是貪瞋癡。「迷謬墮惡趣」，墮到三惡道，「濯以大悲水，脫苦得蕭然」，用大悲水這麼一洗，他就清淨了，這就是大悲輪。

「復次善男子，菩薩摩訶薩，復有能引遍滿虛空無量無邊廣大眾具辭無礙解一切佛法諸三摩地諸陀羅尼堅固大忍大甲冑輪。若菩薩摩訶薩成就此輪，從初發心，一切五欲皆能除斷，超勝一切聲聞獨覺，普為一切聲聞獨覺作大福田，一切聲聞獨覺乘等皆應供養承事守護。」

這是形容大忍大甲冑輪，但是上面又加了這麼多的涵義，那個意思是很深的，這個只是著舉個名詞而已。這都是十地菩薩以上所修行的，他能夠由這種的大忍引伸出來，遍滿虛空。虛空是無窮無盡無量無邊，廣大眾具，盡虛空遍法界，都是你成佛的工具。

「廣大眾具」，什麼具?成佛的因，這個道理你一定要承認，承認就是「忍」，這個不是講忍辱，這個「忍」是認可，承認了。所有的一切言詞，語言文字，這只是說辭，辭當中就包括了辭無礙解。那麼，有這種意思能夠宣揚一切佛法，對一切佛法沒有障礙，產生無上的妙慧，這樣才能承認。住三摩地就是一切的靜慮，一切的三昧，諸陀羅尼就是總持，總一切法持無量義。這種成就的大忍大甲冑輪，這種甲冑輪一切的聲聞獨覺，超過他們，他們不知道也不求。

所以聲聞獨覺一聽到佛道那麼長遠，他心裡頭會產生怯退。他看度眾生太苦，他是把眾生看成實有的，把一切諸法看成實有的，他觀照自己是無我的，自成空的，但是他不能知道眾生跟他一樣，一切都是空的，所以大悲也沒有，大忍也沒有。因此，菩薩一發心，他就能夠超勝聲聞緣覺，能給一切聲聞獨覺作大福田。

「云何菩薩摩訶薩能引遍滿虛空無量無邊廣大眾具辭無礙解一切佛法諸三摩地諸陀羅尼堅固大忍大甲冑輪？謂諸菩薩於一切法，審諦照察，如明月光遍滿虛空，其心平等，無依無相，無住無染，普於一切三摩地門陀羅尼門心無行動，於諸眼色眼識眼觸，離意染著，心無行動。於眼觸緣生內三受，或樂或苦，或非苦樂，心常寂定，無所取著。於諸耳聲耳識耳觸，於諸鼻香鼻識鼻觸，於諸舌味舌識舌觸，於諸身觸身識身觸，於諸意法意識意觸，廣說亦爾。普於一切心意識中，心常寂定，無所取著，於心意識所生三受，或樂或苦，或非苦樂，心常寂定，無所取著，普於三世諸蘊界處一切品類，皆無取著，心無行動。普於一切三界、三行、三觸、三受、三根、三乘、三律儀、三解脫，一切品類，其心寂靜，無住無相，無所取著，平等而住。普於一切布施淨戒安忍精進靜慮般若波羅蜜多，心無行動，寂靜而住，如是普於四念住、四正斷、四神足、五根、五力、七等覺支、八聖道支，心無行動，寂靜而住。普於一切九次第定，心無行動，寂靜而住。又於三行無障法智道支道體所引作用，皆無取著，心無行動，於阿賴耶非阿賴耶，有取無取，有漏無漏，此岸彼岸，小大無量，作與不作，善惡無記，諸品類中，心無行動，寂靜而住。普於一切大慈大悲善巧方便成熟有情，乃至十地三不護四無所畏，乃至十八不共佛法，一切品類，皆無取著，心無行動，寂靜而住。」

「謂諸菩薩於一切法，審諦照察。」審思根據真實的諦理，觀照一下，察是察看一下。這個照是智慧照，智慧照完了，要審實的思惟。占察就是你占卜完了，得審察對號不對號，占察輪也是這樣講。對號就是相應不相應，審諦照察，這樣來成就那個大甲青輪。

諦審觀察像什麼樣子呢？就像明月的光明一樣，像八月十五的月亮，沒有雲彩的時候遍滿虛空，月亮的光是平等的，沒有說那個地方照，我那個地方不照，沒有這種分別。像這個燈光，他有什麼分別嗎？它會只照我、照你，不照他？它沒有這個想法。人開了智慧，就像這個燈光一樣。這是用喻來顯法的道理，菩薩這個心，他是平等平等的。無依，依著什麼產生的呢？沒有，產生了之後有什麼樣子呢？沒有。

「無依無相」，那麼住在什麼地方呢？有沒有處所？沒有，無住就是無著的意思，一切不著，一切不著才無染。我們看見光，那就是太陽光，大家戴個太陽鏡，你戴什麼眼鏡，你看見外頭就是什麼顏色，那個光沒有顏色的，是自己的分別心，你為什麼分呢？眼對境，眼是根，完了對著外頭的色，中間產生一個識來分別，這叫十八界。那不叫陀羅尼，懂得這個意思吧！心性平等，無依無相，無住無染，普於一切三摩地陀羅尼門，心無行動。住了寂靜地，這就是如如，如如就是不動的意思，所以我們稱佛的十號，有一個就叫如來，如者就是不動，來就是利益眾生，利益眾生並沒有動他的本體，也沒有利益眾生相。那就是如如，來即如，去亦如，來去亦如，沒有沒有來去相，就是這個涵義。

以下就詳細的說。「於諸眼色眼識眼觸」，我們這個色，眼睛一定要對色，色就是外頭的境界相，眼識就是分別，觸就是接觸，每一根都是如是。在接觸的時候，那識並沒有分別。舉個例子，像有時候眼對塵，這個識沒有注意的時候，也就是我們心專注一境，念佛是叫你專注一境，其他境界現相的時候，你都沒有感覺了，沒有生起意念了，就專注在這個境上。

如果我們的心，用這個世間話語，就是高度集中了。當你思想高度集中，專注集中，別人看著你在這兒坐著眼睛瞪挺大，人家進入你的屋子，你都沒有看見，進屋走一圈，到你那兒拿東西走了，你都沒有看見，因為你專注了，見而不見，視而不見，就是這個涵義。專注一境的時候就讓我們念到一心不亂，就是到那個一切的塵境不能擾亂，你專注一境，就繫上了，繫住那一境之上。眼如是，耳鼻身都如是。

下面是重複，這就是心無所動，但是眼一接觸就是外面的緣產生了受，要內受、外受、具受，三種受。受的時候，或者是苦，或者是樂，或者非苦非樂，就是這三種。受所接觸的，就這三種。為什麼呢？他的心常寂定，他在定中。不起這種念頭，沒有這種分別，好的他不取著，壞的他也不著。他就沒有好壞了，好壞是我們的分別心。

「於諸耳聲耳識耳觸，於諸鼻香鼻識鼻觸」，鼻聞香臭，乃至於舌，「舌味舌識舌觸」，乃至「於諸身觸身識身觸，於諸意法意識意觸，廣說亦爾。」這樣說起來共十八種，在〈大智度論〉上，他是一個一個說的，都是重複的。為什麼要這樣重複呢？希望你注意，第一遍你沒有聽清楚，第二遍沒有聽清楚，第三遍六根、六識、六塵十八界，說了十八遍，你該記得吧！就是這個涵義。拿著六根作比配，說完了，又拿著六塵來作比配，又說完了，又拿六識作比配，十八界說十八遍。完了又給你說十二處，眼入於色，耳入於聲，又重複一下。

你明白意思就行了，這樣是為了達到無分別，讓你入三昧，讓你諦審入三摩地，要你審察了之後，得到陀羅尼，先是分別，分別完了，到了不分別，於這些境界無所取無所著。

「無所取著，於心意識所生三受，或樂或苦，或非苦樂。」心常寂定，不為境所轉動，心能轉境，他指的是定，這個還是未能轉，《楞嚴經》還得轉過來，就是外頭一切境界相，都轉成了自心，無一法而不是心生的。乃至於眼耳鼻舌身意色聲香味觸法，乃至於眼識耳識鼻識，如是一念心而已，就是我們現前一念心，儘管外相的塵境有許多紛擾，內心裡起種種念頭，就是一個，就是心念。

「心常寂定，無所取著，普於三世諸蘊界處一切品類皆無取著。」不但現生的、過去的、未來的，都無取著，染法無取著，淨法也無取著，乃至於佛菩薩在印度一切的弘法，根本沒有，不去取著，皆無取著。因為有淨就有染，有好一定對著壞說的，有大就一定有小的，有長就有短，大小長短，方圓都如是，一切諸法都如是。

「普於一切三界、三行、三觸、三受、三根、三乘、三律儀、三解脫，一切品類，其心寂靜。」了了分明，而不起分別，不起執著，不是糊裡糊塗的，要是瞌睡了，什麼都不知道了。那個是不同的，了了分明而不執著，也沒有什麼是好，什麼是壞，什麼是聖道，什麼是凡夫道，什麼是六道，心無所著，無住著無無相。

「無所取著，平等而住」，平等平等，什麼平等呢？心平等故，那麼布施、持戒、忍辱、精進、修定、般若、修靜慮，就是禪波羅蜜，這就是六度萬行。

對於這些全無所動，寂靜而住。乃至於「四念住、四正斷、四神足、五根五力、七等覺支、八聖道支，心無行動，寂靜而住」，這就是善惡俱泯，心行俱斷，乃至於九次第定。

「心無行動，寂靜而住。又於三行無障法智道支道體所引作用，皆無取著。」不但染法，連這些淨法，心裡都不取不著。

「於阿賴耶非阿賴耶，有取無取」，都沒有了。「有漏無漏，此岸彼岸，小大無量，作與不作，善惡無記。」就是三性。「諸品類中，心無行動，寂靜而住，普於一切大慈大悲善巧方便成熟有情。」這種寂靜而住，不像二乘人，入了涅槃，就不動了。他要生起大慈大悲的善巧方便，而成熟有情的。上面所說的這些染法淨法，他都不執著，不執著了，是不是不行大慈大悲？不同於二乘的，他是心常在定。佛菩薩利益眾生的時候，我們知道觀世音菩薩在這世界現身太多了，沒有一處是觀世音菩薩不到的，觀世音菩薩也從來沒有來過，沒有到這個世界來，他的體還在極樂世界，不動本寂而遍於一切處，利益眾生。雖然利益一切眾生而不動本寂，釋迦牟尼佛根本沒有來，天人的答覆就是這樣。

但是我們看見的是事實，假使我們的心情是這樣，我們聚的時候，所喜歡的人，所愛樂的人，經常在一起，心裡總是高興的；一分別，或者短離，或者長離，一死，你哭的不得了。心裡一天思惟想，什麼都執著，你不能夠解脫的，曉得一切法就如是。這個要多修修觀。一切行無入於心，這樣成熟有情，成為十地菩薩了。「三不護」就是佛對於身口意不再護了，都沒有了，不會有一點點惡。「一切品類，皆無取著，心無行動，寂靜而住。」這是菩薩的忍輪。

「菩薩摩訶薩由此輪故，能永息除三受過失，能永寂滅一切分別，能永遠離一切法相，復能安住能引一切虛空眼頂諸三摩地諸陀羅尼，善巧方便大甲胄輪，菩薩安住如是輪故，一切過去所引未盡惡不善業，無暇惡趣，諸有諸趣，死生諸業，皆能除滅，令盡無餘，不受果報。」

這個忍輪，「能永息除三受過失」。苦受、樂受、不苦不樂受，都沒有了，這種過失永遠不會有了。我們前面講「十三過」，比這種過失還多，都寂靜了，能永遠寂滅了；一切的分別妄念通通不起了。「能永遠離一切法相」，我們生起的都是法相，都是名詞。名詞，根本沒有，名詞是假名安立。我們說是「五蘊」，「空解脫門」。空是什麼樣子？「空相」，空沒有相。「無作」，根本沒作，還有什麼相呢？所以叫「三解脫門」，「無願」，什麼願都沒有，什麼都不求，願是求。我們現在什麼都不求，你辦不到，我們還是要求，求順著那個聖境的，消滅我們那個惡境的。但是我們知道要達到究竟處，那就得無願無求。

「復能安住能引一切虛空眼頂諸三摩地諸陀羅尼善巧方便大甲冑輪。」

這個大甲冑輪是安住於善巧方便，利益眾生的，這個名詞「虛空眼頂」，虛空了還有什麼頂？虛空還有眼嗎？還有眼睛看嗎？這是形容詞，形容法的，說一切諸三摩地諸陀羅尼，乃至善巧方便，讓一切眾生都能成就。

如果「菩薩安住如是輪故」，一切過去所引的未盡的惡、不善業，我們不是要懺悔嗎？要這樣懺悔。一切過去惡不善業，還未淨的，現在全淨了。「無暇」，就是你修行的時候，那個暇滿身得不到。無暇就是受苦無暇，修行的時候，沒有這個時間讓你修。現在大家信佛之後，感覺時間不夠用，怎麼會不夠用呢？因為世間法把你的時間佔住了，因為你的心，就在那上面奔馳了。放不下，當然是不夠用。玩起來，晝夜都去玩。打麻將可以打幾天幾夜，他不會感覺到辛苦；旅遊的時候，他可以到處參觀訪問，那是我們的顛倒，這就叫顛倒眾生。但是等你的惡趣來了，都盡無餘。

以下就說惡法，說世間相，說這些令盡無餘了。你還受什麼果報？果報沒有了，空的，無因無果。到了這個時候，就修這個觀，但是這個觀是從有因果來的。所以在學《占察善惡業報經》的時候，上半卷講的是占察輪相，下半卷講的就完全不同了。兩種觀念，兩種感受，絕對不同。這個也如是，前面十惡輪，十善輪，現在說是菩薩的十輪，這是究竟成佛的菩薩。

「又善男子，譬如世界火災將起五日出時，一切世間小池大池，小河大河，小海大海，水皆枯竭，滅盡無餘，如是菩薩成就能引遍滿虛空無量無邊廣大眾具辭無礙解一切佛法諸三摩地諸陀羅尼堅固大忍大甲冑輪。復能安住能引一切虛空眼頂諸三摩地諸陀羅尼善巧方便大甲冑輪，一切過去所引未盡惡不善業，無暇惡趣，諸有諸趣，死生諸業，皆能除滅，令盡無餘不受果報。又善男子，譬如世界水災起時，於此三千大千世界，諸小世界，各四大洲，八萬小渚，妙高山王，及諸山等，皆為災水浸潤消盡，令無有餘。如是菩薩成就能引遍滿虛空無量無邊廣大眾具辭無礙解一切佛法諸三摩地諸陀羅尼堅固大忍大甲冑輪。復能安住能引一切虛空眼頂諸三摩地諸陀羅尼善巧方便大甲冑輪，一切過去所引未盡惡不善業無暇惡趣，諸有諸趣死生諸業，皆能除滅，令盡無餘，不受果報。」

譬如這個世界，還沒有達到世界壞盡的時候，火災要是起了，這個世界開始壞了。五日出時，空中出現五個太陽，到了這個時候，「小河大河，小海大海，」大海，就是洋。「水皆枯竭」，枯乾，滅盡無餘，一點滴水都沒有了。

佛舉這個世界壞的時候，會出現五個太陽，所以世界一切的小池大池，一切水都乾涸了，菩薩成就虛空廣大、具辭無礙的大忍大甲冑輪的時候，他也能夠把眾生過去一切的惡、不善業的，還沒有完全消失的；或者死此生彼、死彼生此的這些業障，都能除滅；而且不再受果報了。就像五個太陽出現的時候，世界都要壞了，一點一滴水都沒有了。

我們講須彌山、七金山，堅固得不得了，水災是連金子也泡化了，你相信嗎？那是業，泡久了，自然都化了，火災也如是。火一燒就沒有了，大三災的時候，風一吹就還歸於虛空了，一切的種種安立都在虛空當中。虛空上才是水輪，水輪上才持著所謂的地球。大家看看《華嚴經》的〈世界成就品〉，世界是怎麼樣成就的？在空中成就的。

現在科學證明了，在空中那個星雲，成就個球；完了漸漸又有人，就是這樣，完了又壞，壞了又成，成了又壞，壞了又成。無窮無盡，如是循環相續不斷。大三災是先火燒，後來是水淹。那個火都把它燒酥了，水一淹就泡了，泡了就泡得很酥軟，風災一起就吹到空中去了，什麼都沒有了。

譬如世界水災起的時候，這個「三千大千世界，諸小世界，各四大洲，八萬小渚，妙高山王。」我們的須彌山，及諸山等，皆為災水浸潤消盡，水一泡，泡消了。我們看見石頭是堅硬的，那石頭讓水浸濕，那石頭漸漸的就化了，我們看不見了。

房簷滴水的時候，那水是很軟的。在下雨的時候，滴幾滴，滴久了，你的房簷底下會有個小坑坑，滴水簷前軟能克硬，這叫軟磨硬。你不要發脾氣，軟磨比硬碰好的多，想想這個道理，就能夠理解到了。

「又善男子，譬如黑暗遍滿虛空，朗日出時皆能除滅，如是菩薩成就能引遍滿虛空無量無邊廣大眾具辭無礙解一切佛法諸三摩地諸陀羅尼堅固大忍大甲胄輪。復能安住能引一切虛空眼頂諸三摩地諸陀羅尼善巧方便大甲胄輪，發起無邊虛空智日，能永除滅自身四倒無明黑暗，一切過去所引未盡惡不善業，無暇惡趣諸有諸趣，死生諸業，皆能除滅，令盡無餘，不受果報。又由此故，於諸佛法增進自在，常無退轉，不復隨順惡友力行，常得不離見一切佛，及諸菩薩聲聞弟子，不離聞法，不離親近供養眾僧，於諸功德心常無厭，乃至菩提恆無間斷，又常不離念佛思惟，乃至夢中亦無暫廢。」

這幾句話都是一樣的，這個大甲胄輪，一個善巧方便大甲胄輪，一個大忍大甲冑輪，能夠發起無邊的智慧日，除滅你自身的四顛倒，乃至無明黑暗都除盡了。

這些大菩薩化度眾生，使諸眾生如是的觀察，如是的諦審，如是的進入，這兩個大甲冑輪，這樣的修行成就了。於諸佛法，自在常無退轉，增進你對佛法的自在，永遠再不會退墮了。就算是有惡友牽引你，也不隨著那道友力去做了。

那麼「常得不離見一切佛，及諸菩薩聲聞弟子」，因為這種大甲冑輪的引伸，菩薩成就這種大甲冑輪來利益眾生，使眾生對於佛法增進信心，增進修行。所以他能夠在修行當中破除這些惑業，乃至能得到自在，也達到不退轉地，不會再隨順惡友的勢力，來牽引他退墮聖道。那麼常得不離見一切佛及諸菩薩聲聞弟子，就能見著佛法僧。這樣常時能聞著佛法，常時能親近供養眾僧。

「於諸功德心常無厭」，我們有時候在做功德的時候會生起厭煩，例如，叩頭禮拜聞法，有時會生起厭煩。為什麼呢？因為他修行很久了，可是還沒有進入。這樣子就很容易退墮，為什麼會退墮呢？因為他想有所得，到時候得不到。如果他原來就沒得，他永遠也沒退墮心，他沒想得什麼，我這麼做就對，他的思想沒有退墮心，如果一產生了分別，一想有所得，得不到，他就退了。

我有時候想，出家六十多年，中間沾了一些障礙。但是在佛法當中得到什麼呢？沒有得到什麼！我出家的時候，想得什麼呢？我也沒有想得到什麼。但是有的人說：「我別受苦，了生死，現在卻感覺什麼都苦。」感覺什麼都苦，這就是對佛法還沒有入。這個苦是無常的，我們剛才講了，苦是什麼樣子呢？沒有。好像有人打我們，我們感覺這個是觸了，這個觸是苦，你感覺痛苦。但是你再作第二念，再觀察，有覺覺痛無痛痛覺，你有個知覺才感覺到痛苦。如果這個知覺也沒有了，你這個痛苦就感不到了。

另外，你修觀的，或者念佛的人，為什麼把精神完全寄託在佛號上？念佛，念念的專注一境，這時候別人打你，或者幹什麼，你不知道，心裡就是念佛，也不是佛加持你什麼力量，沒有。因為你的心不在這上頭，你就不知道了。這個你可以自己試驗著，這不是一天兩天，我是積三十多年的經驗。

在住監獄的時候，我一天到晚就是這麼想，今天盼著明天出去，明天盼著後天出去，反正每天都在盼，我明天可能出去，生存就是寄託在希望上面。因為有希望，才能支持你活下去，要是連這個希望都沒有了，活不下去了。自殺的人，沒有希望了，他認為自己達不到，什麼都沒有了。特別是小孩，他很容易生起斷滅見，他感覺到壓迫太痛苦，交功課，老師也逼，父母也逼，他走投無路。他說：「我死了該沒有人逼？」他認為死了就完了，他不曉得死的痛苦，比那個活的痛苦還厲害，他要是知道就不幹了。

求解脫就是用觀照，觀照久了，成熟了。沒有成熟，解脫不了；觀照成熟了，你就解脫了。觀照這個東西，很可愛的，因為你會感覺很痛苦，或者變壞，或者損失，你會很痛苦，你觀想到不愛了，就放下了。對這個東西，他的好壞跟我沒有關係，等他消失了，你也不感覺痛苦。他成長不成長，跟你沒有關係，你要是特別關注，你就痛苦，他的變化就是你心裡的變化，這就是淺近的修行。

等我們講完了之後，再從頭說如何觀察我們的出入息，那對我們才有確實的利益。你要是觀察久了，心裡注專了，真正觀察出入息了，那個息定了，你才知道如何一步一步往前修行了。

「又善男子，云何菩薩摩訶薩能引遍滿虛空無量無邊廣大眾具辭無礙解一切佛法諸三摩地諸陀羅尼堅固大忍大甲冑輪？謂諸菩薩入初靜慮，乃至第四靜慮，入無邊虛空處，乃至非想非非想處，入滅受想定。住此定中，一切三受三行斷滅，心無行動，諸受想思觸作意等悉皆斷滅，安住此定或一日夜。或復乃至七七日夜受定味食，從此定起，其心寂靜，無所取著，宴然而住。復入勝義究竟空定，住此定中，其心平等，無所取著，猶若虛空，身諸毛孔，皆出霜液，狀如昴星，滅除一切鬱烝結縛。從此定起，得正憶念，最勝喜樂充遍其身，如大自在天子入現一切樂定，身諸毛孔皆遍受樂，如是菩薩樂觸其身，便思念佛，思念佛故，則唯見佛，不見餘相。菩薩爾時若念一佛，則見一佛，若念多佛，則見多佛。若念小身佛，則見小身佛，若念大身佛，則見大身佛。若念無量身佛，則見無量身佛。若念自身為佛身相，則見自身同於佛身眾相圓滿。若念他身為佛身相，則見他身同於佛身眾相圓滿。若念一切情非情數所有色像為佛身相，則見一切情非情數所有色像皆同佛身眾相圓滿，不見其餘一切色像。」

諸菩薩「入初靜慮」，就是剛剛入了初禪的定。靜慮就是定，乃至於二禪、三禪、四禪天的靜慮，或者是從第四禪天，又進入無邊虛空處；他入這個定，無邊虛空定，乃至於非想非非想處定。這個非想非想處，後面的「非想」是佛加的，佛知道他並不是「非想」，而是「非非想」，加個「非」字，還有想，之後就是滅受想定。滅了這個，沒有受，沒有能受，也沒有想，一時不想，入了這個定。

在這個定中，苦受樂受，身、口、意，三受三行，都斷滅了，心沒有行動了，意識沒有行動了。那麼，受、想、思、觸、作意就是心所法，受、想、思、觸、作意都斷滅了，受是粗相，是心內行。這個觸，觸是心內的接觸，就是法塵跟意識的接觸。作意，就是生起念頭。我們說打妄語就是念頭，一入這種定的時候全都斷滅了。安住這個定，或者定一天，或者定七七四十九天，他在這定中得到定的滋味，拿這個作飲食。入定的人，他不再吃飲食，什麼感覺都沒有了，連想都沒有了，沒有感受。怎麼會有感覺呢？住這個定中，心裡頭沒取著，到達心平等，心跟虛空一樣呢！

那時候他身上每一個毛孔都出霜液，汗液像霜似的。「狀如昴星」，形狀像昴星似的。「滅除一切鬱烝結縛」，蒸起的氣體都沒有了。要是從這個定起了，他就得了正憶念，最勝的喜樂，充滿其身，這叫四禪八定。這定不是聖境，不是佛菩薩的聖境。所以，他說最勝的喜樂充滿其身，就是大自在天子入現一切的樂定，也就是大樂天子所入的定，不是出世定，知道這個定，我們是不容易得到，得到了還是有生滅的，定散的時候還是沒有了，所以每一個毛孔都是快樂的，這叫大自在天子入的一切樂定。

「如是菩薩樂觸其身」，這個快樂一觸到身，他生起念佛的思想，修淨土的道友要注意這一段經文，他是這樣來念佛的；因為思念佛故，想念佛，思想佛。念佛只見到佛相，他在定中只看見佛相，其他的什麼相都不念了，都沒有了，沒有生起那個念。爾時若念一佛，則見一佛。他念釋迦牟尼佛，他只見釋迦牟尼佛。要是念多佛呢？他若觀釋迦牟尼佛，藥師琉璃光如來，不動如來，多寶如來，一念諸佛全現，能念多佛，多佛就現，能念一佛就一佛現。隨念而現，生到極樂世界。念阿彌陀佛生到極樂世界，你可以這樣的來修行。

「若念小身佛」，你可以見小身佛，這是化佛；若念釋迦牟尼佛，見丈六金身，念盧舍那佛，見千丈身，那是報佛；念小身佛則「見小身佛」，念「大身佛則見大身佛」，則見大身佛。「若念無量身佛，則見無量身佛」，念無量身，一塵中有塵數剎，一一剎有難思佛，無量諸佛。

「若念自身為佛身相」，觀想我就是佛，佛就是我，你就現了自身為佛相，同佛身相一樣的形相圓滿。發心住的菩薩能夠做得到，他一念佛的時候，觀想與佛身合一了。別的眾生看見他就是佛，諸相圓滿具足，或者三十二相，或者八十種好，念報身佛做不到。

若念他身為佛身相，則見他身同於佛身眾相圓滿，不是念自己，或者念某位道友。觀想他是佛，他已經成就了，你看他就是佛身，也是諸相圓滿。

「菩薩爾時便作是念，一切諸法，一切色像，皆如幻等，諦實不虛。我今復應皆悉斷滅一切三受三行等法令無有餘，作是念已，入滅盡定。住此定中，如心所期，皆盡斷滅，受定味食。或一七日夜，或二七日夜，或三四五六七八九十七日夜，或經無量百千俱胝那庾多劫，隨力所能，安住此定，受定味食。從此定起，其心寂靜，無所取著，宴然而住。復入勝義究竟空定，廣說如前，乃至思念佛身相已，知一切法一切色像皆如幻等諦實不虛。」

這個時候你才體會到所謂一切法如夢幻泡影，才知道佛法是如理的，如實的，不是假的。如果是行普賢行願的時候，隨拈一法無非法界，所以一塵塵裡有塵數剎，一個微塵裡就有無窮無盡佛剎，一一剎裡頭又有無窮無盡那麼多佛。一一佛的前面又有無窮無盡的諸佛菩薩圍繞在那兒說法，這個也諦實的。為什麼呢？皆是法身故，皆是法性所成就的。

那麼，「我今復應皆悉斷滅一切三受三行等法令無有餘」，苦受樂受，身、口、意，一切法我都把他們斷滅了，令無有餘，不在無明上留一點點。

「作是念已，入滅盡定，住此定中，如心所期，皆盡斷滅，受定味食，乃至於一七日夜，或二七日夜，或三四五六七九九十七日夜。」十個七就是七十天，就在定中。

「或經無量百千俱胝那庾多劫」，那個時間就長了，沒辦法計算了。還沒有這種定的力量，那麼「隨力所能」，你有多大的觀想力，心定的寂靜力，就安住這個定上，「受定味食」。若是從這定起來之後，心裡寂靜的，無所著；什麼都不取，什麼都不執著，根本就沒有執取，還有什麼捨呢？無取無捨。

「宴然而住」，這個時候宴然而住，他又另入一個定。「復入勝義究竟空定」，勝義空定，就是前面所講這些，跟這個是一樣的，是勝義的空定。

「廣說如前，乃至思念佛身相已，知一切法一切色像皆如幻等諦實不虛。」這是真實的，一點也不假，諦理如是。

「善男子，是名菩薩摩訶薩能引遍滿虛空無量無邊廣大眾具辭無礙

解一切佛法諸三摩地諸陀羅尼堅固大忍大甲冑輪。菩薩摩訶薩成就此輪，則能安住能引一切虛空眼頂諸三摩地諸陀羅尼善巧方便大甲冑輪。住此輪故，發起無邊虛空智日，能永除滅自身四倒無明黑暗，一切過去所引未盡惡不善業，無暇惡趣，諸有諸趣，死生諸業，皆能除滅，令盡無餘，不受果報。善男子，若菩薩摩訶薩成就此輪，從初發心，一切五欲皆能除斷，超勝一切聲聞獨覺，普爲一切聲聞獨覺作大福田，一切聲聞獨覺乘等皆應供養承事守護。由此輪故，於諸佛法增進自在常無退轉，不復隨順惡友力行，常得不離見一切佛及諸菩薩聲聞弟子，不離聞法，不離親近供養衆僧，於諸功德心常無厭，乃至菩提恆無間斷。又常不離念佛思惟，乃至夢中亦無暫廢。如是菩薩福德智慧速疾圓滿，不久安住清淨佛國，證得無上正等菩提，於彼佛國一切有情皆受化生色相如佛，煩惱微薄，皆住大乘。

爾時世尊重顯此義而說頌曰：

欲成諸法器　斷一切煩惱　常趣入眞空　衆事無難作

爲斷諸有縛　當勤修等持　功德定相應　必獲難思慧

修靜慮無色　滅定眞空觀　起念佛勝智　能盡一切惡

有無一切法　破以眞空觀　永離諸惡趣　常得見諸佛

善修眞空觀　勤學諸善法　供養一切佛　速當成佛果

爲有情親友　滅除煩惱病　速住淨佛國　證得大菩提

衆生如佛相　遍滿於佛土　皆趣求佛乘　離聲聞獨覺」

從那個定輪引攝住在這個定輪上，才能發起無邊的虛空智日，那太陽就像智慧，發起多少個太陽呢？無邊。智慧就無盡，從這個時候起，把你身體自身的四種顚倒，乃至於究竟無明，乃至惑業的無明，都究竟除滅了。過去所引起的那個惡不善業，乃至「無暇惡趣，諸有諸趣，死生諸業，皆能除滅。」這個時候才能徹底的除斷了，令盡無餘不受果報。

「善男子」，若諸菩薩成就此輪，從他最初發心，能夠斷除一切五欲，再不會退墮了，還會隨順惡友的力量牽引？不隨順惡友，那就離開惡，也能轉動。他到這個時候，還能轉惡友為善友。

那麼，就經常「不離見一切佛諸菩薩聲聞弟子，不離聞法，不離親近供養眾僧，於諸功德心常無厭，乃至菩提恆無間」，在菩提路上，再也沒有間斷的時候。我們讀〈普賢行願品〉也好，念佛、念法、念僧也好，從來不會間斷。恆無間斷了，也就「常離念佛思惟」，口裡在念佛，心裡在想佛，身體在拜佛，「乃至夢中亦無暫廢」，晝夜二十四小時念佛，沒有一念間離開佛法僧三寶。

到了這種地步，「如是菩薩福德智慧速疾圓滿」，很快就成佛了，不久就安住清淨佛國，他自己安住在佛國土。

「於彼佛國一切有情皆受化生色相如佛」，這有情在一切佛國土都是化生，當然不是胎生，沒有一個佛國土是胎生的。我們這個婆娑世界不同，這是五濁惡世，淨佛國土都是化生的，沒有女相，沒有生育相，但並不是煩惱斷了，而是到這個時候煩惱微薄了，很少了，都住在大乘法中。

「爾時世尊重顯此義而說頌曰：欲成諸法器，斷一切煩惱，常趣入真空，眾事無難作。」這就顯一切相，顯一切相而滅一切相，都顯真空。這就是什麼呢？就是《華嚴經》的真空絕相觀；天台四教的真觀空、假、中三觀，就是修真空觀。「為斷諸有縛」，三界都是有繫縛的，那麼常「勤修等持」，常勤修這個三昧，就是一切法都平等。持一切義，持你自己一念心，心都平等。「功德定相應」，你要是得了這種的定，這種功德，跟你的定，兩者是相應的，不會錯的。功德就是定，定就是功德，也沒有功德，也沒有什麼是定。「必獲難思慧」，這是說得了功德，得定了，還能得到慧，獲得不可思議的慧，難思為不可思議的，要想修靜慮修定，千萬離開色，靜慮無色，沒有一切色相，修靜慮的，離一切色相。

這叫「滅定真空觀」，修滅盡定，真空的絕相，一切相沒有了。這個時候在定中，生起了念佛的殊勝智慧，把一切惡都滅盡了，用真空觀來破一切有為法。有也好，無也好；有是對著無說的，並不是真空，用真空觀就破那個有無。那個有無，一個是常法，一個是斷滅法，有就是常法，無就是斷滅。真空不是這樣，真空就能產生妙有，妙有就不是非有，非有就是真空。真空不空，就是妙有，也就是得一切諸功德相，佛的諸功德相是什麼樣子呢？妙有非有。

「善修真空觀，勤修諸善法，供養一切佛，速當成佛果。」善修真空絕相觀，就能勤修諸善法，並不是住在空中。這個空不是沒有了，這是不對的。能善修真空觀才能夠勤修諸善法，這叫修四觀真實絕相，依著真空的理而生起一切事。那就是理事無礙，所行的法就叫善法，用這個來供養佛，用法供養一切佛，很快就成就佛果。為有情親友，滅除煩惱病，這時候你有大力量，你可以觀照跟你有關係的有情親友，把煩惱病也除了，把他們都度了。

「速住淨佛國」，生到淨佛國，在那兒能「證得大菩提」，一切眾生都如佛相，看一切眾生都是佛。「遍滿於佛土」，那個淨佛國土的眾生，都是成佛的。那麼「皆趣求佛乘，離聲聞獨覺」，離開二乘位，求成佛。

等〈囑累品〉講完了，再回頭講講修觀息觀，我們就算圓滿了。

福田相品 竟

獲益囑累品第八

「佛說如是大法門時，於眾會中，有殑伽沙等菩薩摩訶薩，過去久習念佛思惟，今聞世尊所說念佛修觀方便，皆得念佛三摩地門。復有無量無邊眾生聞是法已，皆得一切定命華鬘陀羅尼門。復有無量無邊眾生聞佛所說，皆得一切首楞伽摩電光依止陀羅尼門。復有無量無邊眾生聞佛所說，皆得一切法自在轉光明依止順忍。復有無量無邊眾生，聞佛所說，遠離塵垢，於諸法中，生淨法眼，得預流果。復有無量無邊眾生，聞佛所說，得一來果。復有無量無邊眾生，聞佛所說，得不還果。復有無量無邊眾生，聞佛所說，皆得最上阿羅漢果。復有無量無邊眾生聞佛所說，心求出離三界牢獄，依佛出家趣入正法。復有無量無邊眾生，聞佛所說，盡壽安住十善業道，依聲聞乘發心不退。復有無量無邊眾生，聞佛所說，盡壽安住十善業道，依獨覺乘發心不退。復有無量無邊眾生，聞佛所說，盡壽安住十善業道，依大乘中發阿耨多羅三藐三菩提心不復退轉。復有無量無邊眾生，聞佛所說，得世正見，由此正見，除滅一切往惡趣因煩惱惡業，增長一切向善趣因正願善業。復有無量無邊眾生，聞佛所說，皆受三歸，安住近事近住淨戒，樂供養佛，樂聽聞法，樂奉事僧，晝夜精勤，曾無懈廢。復有無量無邊眾生，聞佛所說，遠離一切邪趣，邪歸，惡意，惡業，於佛法中得決定信棄捨家法，清淨出家。」

這是《大集十輪經》的最後一品，這個法會到此就圓滿了。聞法之後，哪些人得到利益呢？也就是收到什麼效果？第一個，大眾菩薩有好多？像恆河沙數那麼多的大菩薩。他們過去就學念佛思惟的法門，這個念佛不一定是念阿彌陀佛。念佛的這個佛是普遍說的。凡是念佛，就是指一切佛的意思。

修念佛觀的，以這個修觀方便稱佛名號，觀想佛像，這是他們過去所學的，他們聽到這個大集法會當中，聽到講念佛思惟觀想，他們就得了好處，入了三摩地，得了念佛三昧。這個裡頭有時念的是化身佛，有時念的是報身佛，有時念的是法身佛，隨自己觀想力的強和弱，他所得到的法門也不一樣的，這是指菩薩摩訶薩，他們就得了念佛三昧地，入了念佛三昧。

「復有無量無邊眾生聞是法已，皆得一切定命華鬘陀羅尼門。」這是定的名字，「一切定命華鬘陀羅尼門」，是另一個三昧門。

「復有無量無邊眾生聞佛所說，皆得一切首楞伽摩電光依止陀羅尼門。」這個定又叫楞伽摩電光依止陀羅尼。

「復有無量無邊眾生聞佛所說，皆得一切法自在轉光明依止順忍」，「依止順忍」，這還是定。「依止順忍」就是依止這個定，止就是定。

「復有無量無眾生聞佛所說，遠塵離垢，於諸法中，生淨法眼」，生淨法眼就是眼得淨法眼，就是有正知正見，沒有邪知邪見，也就是見惑斷了。因為他說的得預流果，預流果就是須陀洹果，就是初果。

「復有無量無邊眾生聞佛所說」之後，他成就了「一來果」，「一來果」就是「斯陀含」，就是還來人間三界一次，這叫「一來果」。「復有無量無邊眾生聞佛所說，得不還果」，「不還果」是「阿那含果」，是第三果。「復有無量無邊眾生聞佛所說，皆得最上阿羅漢果」，就證了四果阿羅漢。

在這法會當中，佛說的法是平等的，這就說明了根機不同，他得到的效果也不同。有的得到初果，有的得到四果；有的眾生聞佛說了，他能夠安住出離心，出離什麼呢？出離三界。他的心聞佛說了法，感到這個世界非常污濁，心裡生起厭離心，出離三界的牢獄，也就是說出家了。「出家趣入正法」，依佛出家趣入正法。

「復有無量無邊眾生聞佛所說，盡壽安住十善業道。」從他現在聞法之後，直至壽命盡，就是死了，在這個中間他一直不違十善業道。有的是依照聲聞乘的，發了菩提心，就知苦斷集慕滅修道，有的聞了獨覺乘，他就修了十二因緣，學因緣法。有的無量無邊的眾生，「聞佛所說，盡壽安住十善業道」，安住十善業道，那就是修十善法。修十善法就可以生人天乘。還有他聞法之後，他依著大乘「發阿耨多羅三藐三菩提心，不復轉退」，信心堅定，聞法之後，信心堅定，住於大乘的發心成佛。

「復有無量無邊眾生聞佛所說，得世正見」，這個正見不是出世的，這是世間的正見。正見，就是分別邪正，分別什麼是善？什麼是惡？什麼是正確的？什麼是正知正見？什麼是邪知邪見？他若證得了正見，就能夠把一切往惡趣因果的惡業斷絕了，除滅了一切往惡趣的因。斷了煩惱的惡業因，就不會感到苦果，就不會感到煩惱的惡業果障了，增長一切向善趣的因。正願善業，他的願就發願修行善業，不作惡業了。

「復有無量無邊眾生聞佛所說，皆受三歸」，就歸依佛、歸依法、歸依僧。「安住於近事近住淨戒」，近事近住就是三歸五戒，近住淨戒，就是八關齋戒。「樂供養佛，樂聽聞法」，就是聞法，「樂奉事僧」，就是欣樂供養三寶，隨佛聞法隨僧聞法。晝夜的精勤不懈怠，「曾無懈廢」，聞法之後得了精進的效果。

「復有無量無邊眾生，聞佛所說，遠離一切邪趣，邪歸，惡意，惡業。」不起惡心，更不作惡業。「於佛法中得決定信」，信心不退。「棄捨家法，清淨出家」，這個出家不是成道，出家了還得修行。在這個法會之中，就是大集十輪法會，佛說了幾種的十輪，一者依著世間法的國王十輪，顯示佛的十輪。也講有依跟無依，無依就是沒有三寶可依；那麼所作的惡業，就受報了，不知道何去何從。有依，就依著三寶，無依就是講十惡輪，有依就是講十善輪。

最後講菩薩的十輪，這部經的名字叫《大集十輪經》。大家聞法之後，獲得的利益不同，儘管同在一座聞法，但是他所攝取的不同，各人的因緣不一樣。就像我們現在講了兩個多月，因為不是天天講，斷斷續續的，能把這部經全部聽完的，選不出幾位人來，都會有中斷的。

這是什麼原因呢？因緣不同。並不是你要想斷；你不斷也得斷，你想斷，斷也斷不了，到時候你又來了，各人的因緣。但是我們應當懂得各有因緣莫羨人，自己不要生退墮心，也不要因為看到別人的因緣好，我們就羨慕他，沒有必要。各造各的因，各結各的果，就是這個意思。

有的聽到這部經，他能得到無上的三昧。有的聽了經，受個三歸五戒，僅僅是種個善根。好多道友最近受三歸的，沒有聽經他也受三歸，這就是因緣不同，凡是因緣所生諸法沒有真實的。

這部經講完了，之後佛把這部經囑託誰呢？囑託虛空藏，藏者是含藏義，含藏著什麼呢？虛空。空還有什麼呢？空是沒有的。這個空就是要把我們的煩惱、習氣、業障都空掉。假這個名義，我們就可以理解到，要是空掉這些污染的、污穢的、髒的，剩下的就是清淨的；清淨就是法身的功德。我們現在聞了，大家共同學習了，得到什麼好處呢？每個人心裡頭都能有所收穫。

這部經自從玄奘法師翻譯成中文，一直到現在，都沒有人講過。我們這是第一次，我講的是不好，也許會有錯誤，有錯誤的就懺悔。我們共同學習這部經，還是很不容易的，大家都要發心才能圓滿。今天總算完成了。

這部經啟示我們的，就是告訴我們，修行一定要斷十惡、行十善；最起碼的，我們應當有這個信心。以後，我們在日常生活中，不要給人家惡顏色看，總要給人家歡喜笑臉看。若他很煩惱，他看見你的態度好，他那個煩惱的火焰就下去了。假使對他發脾氣，這包括對待自己的子女，對待自己的朋友。現在的人，對自己的父母，常時給父母顏色看，像小和尚就給老和尚顏色看，總是那麼不如意。那個臉色總像誰該他好多錢，沒有給他，彼此就不能溝通。在佛教，這樣你就犯了戒了。犯什麼呢？大家知道嗎？瞋恚，心裡頭總給人一種不是清淨的印象。口說惡言，說綺語，這都屬於十惡業。因為意裡頭有瞋心，外貌氣色自然就不好看，這是必然的。這個時候跟人家談事情，談成的少。

學了《大集十輪經》，認清什麼是惡輪？什麼是善輪？在我們日常生活當中，身跟口佔了七個，意識就佔了三個；這就是善惡在你的一心，我們聽到了，應該在這上面得到一個好處。佛的十輪，跟大菩薩的十輪，我們得不到，起碼我們受個三歸。我們要有依，依靠三寶加持力，使我不造十惡業，盡行十善業，保持人身不失，見佛聞法，經常得遇善知識，聞法修道。

「爾時世尊告虛空藏菩薩摩訶薩言：善男子，吾今持此地藏十輪大記法門，付囑汝手，汝當受持廣令流布，若諸眾生於此法門，有能讀誦思惟其義爲他解說住正行者，汝當爲彼守護十法，令於長夜利益安樂。何等爲十？一者爲彼守護一切財位令無損乏，二者爲彼守護一切怨敵令不侵害，三者爲彼守護令捨一切邪見邪歸十惡業道，四者爲彼守護令免一切身語讁罰，五者爲彼守護遮斷一切謗毀輕弄，六者爲彼守護令於一切軌範尸羅皆得無犯，七者爲彼守護令悉除滅一切非人四大乖反非時老病，八者為彼守護不遭一切非時非理災橫夭歿，九者為彼守護命欲終時得見一切諸佛色像，十者為彼守護令其終後往生善趣利益安樂。善男子，若諸有情於此法門，有能讀誦思惟其義，為他解說住正行者。汝當為彼勤加守護如是十法，令於長夜利益安樂。時虛空藏菩薩摩訶薩白佛言：唯然世尊，我當受持如是法門廣令流布，若諸有情於此法門，有能讀誦思惟其義，為他解說住正行者，我當為彼守護十法，令於長夜利益安樂。時薄伽梵說是經已，於眾會中，虛空藏菩薩摩訶薩、地藏菩薩摩訶薩、金剛藏菩薩摩訶薩、好疑問菩薩摩訶薩、天藏大梵等，及諸天龍、藥叉、健達縛、阿素洛、揭路荼、緊捺洛、莫呼洛伽、人非人等，一切大眾，聞佛所說，皆大歡喜，信受奉行。」

「善男子，吾今持此地藏十輪大記法門，付囑汝手。」我現在囑累你一件事情。囑是囑託，累是累贅，是負擔。什麼負擔呢？你把這部經「廣令流布」，讓一切眾生都能夠在這個法門上得到好處。要怎麼做才得到好處呢？佛沒有很高的要求，如果要求高，佛知道末法眾生做不到。讀誦就好了，能夠讀一讀、看一看、聽一聽，同時要思惟這部經所說的道理，不但自己明了，以後對別人解說，讓他把行為端正一下。你同時要修慧、修定，並不是十善業做了就滿足了。這只是人天，還要習定、做聖人，要修行戒定慧。

假使說，有人能夠讀誦思惟這個道理，那麼，虛空藏菩薩要負責任守護他們。守護什麼呢？佛說了十法，令虛空藏菩薩守護能夠讀誦思惟這部經道理的人，令他能夠長夜安樂愉快，能夠得到好處。利益就是好處，什麼好處呢？讓他長夜的愉快。長夜等於在黑暗當中，你這一生都在黑暗當中，這是說婆娑世界像黑暗沒有光明，永遠在黑暗一樣；讓他們得到好處，得到安樂，得到光明，得到利益，也就是沒有煩人的事，總是愉愉快快的。

何等為十呢？「一者為彼守護一切財位令無損乏」，若有人讀誦這部經，思惟這部經的道理，你應當守護，讓他不受財產的損失。佛知道眾生貪財，錢是第一位。第一個就說保護他的錢財，別讓他損失。他還有個反面的，讓他有收入，已得的，不要損失，未得的錢財怎麼得？含著這個意思。錢財的損失，有五家共的，國家沒收了，賊偷了，火燒了。那麼賊偷火燒了，人搶了，或者國王給你沒收了，水淹了，這些都還好防範。因為你過去多生累劫的業，你若欠人家債，向你討債來了，不孝的子孫會把你的家產敗光的，好多帝王將相的財產沒過三代就完了。有福德做得好的，那能保護得很久。

大家看到〈地藏菩薩感應錄〉的故事，裡頭說不孝子孫劫奪他財產的時候，那就是轉到他的子孫；完了就是不孝敬他，還是忤逆的，那是向他討債來了，還報來了。一對老夫婦，有八個兒子，沒有一個孝順的，後來他們就請了地藏像，供養地藏菩薩，一天到晚燒香拜拜，沒拜還好一點，這一拜，這八個兒子一個跟一個死，八個全死了。到了過年的時候，這倆老就對著地藏王菩薩發怨言、發牢騷說：「地藏王菩薩，我們還沒有供養你的時候，雖然他們怎麼忤逆，還有個混眼的；現在全都死光了，到了過年，只有我們兩個老的。」禱告完了，初十三的晚上，諸神下界，地藏王菩薩當然是有神通，就給他們兩人託個夢，說：「你明天到河邊上，你可以看看這八個兒子。」這老頭得這個夢，早上一起來，老頭還沒有說，老太太就說，昨天我做個夢，夢見地藏王菩薩給我託夢來了，說：「今天我們到河邊去看看我們那八個兒子。」老頭說：「我也得了這個夢，好，我們倆就去看看。」

他們倆人到河邊去看，一到在那水裡頭，他八個兒子一個一個化現，都是過去的冤家。他們倆人之所以發財，是害人家的，或者剝奪，或者用種種手段剝人家財，他們一看見就傻了。回來之後再不敢抱怨，完了又在菩薩前求懺悔，晚上又得了地藏菩薩給他作夢，說：「送你們兒子，你們倆壽命會很長，因為你們倆是我的護法，是我的施主，我會加持你們。」他倆醒來的時候想，這可能嗎？這位老太太都多老了，還能生兒子？這在人間是不可能的事。但是自從做這個夢之後，她就懷孕了，臨老了，生了一個小兒子，他倆活了九十多歲，快近一百歲，還得了一個小兒子，替兩老送終，在〈地藏菩薩感應錄〉有這個故事。

「二者為彼守護一切怨敵令不侵害」，這是很不容易的。這怨敵轉到你的子孫，轉到你自己的兒子。你愈愛他，他愈害你，就是這樣。因為你解決不了這個疙瘩，怎麼樣解決？你勸他信佛，自己天天拜懺，愈不聽話，你對他愈好。而且你還要懺悔，我對不起他，他來討債了，我不能跟他一般見識，你這樣就化解了。如果孩子來了就很好，那不是你欠他的，是他欠你的，那就很好。但是佛囑託虛空藏菩薩說，若有讀誦《十輪經》，看《十輪經》，學《十輪經》義理的，第一個守護他的財物；第二個守護怨敵不侵害他，第三個守護令他沒有邪見。而邪歸依，歸依十惡道，你要守護，可別讓他墮到十惡道。他要是有邪見邪歸，會墮到十惡道，下五無間地獄。所以在他未發作之前，要事先守護好，讓他不會墮落到這裡頭。

「四者為彼守護令免一切身語謫罰」，或者身受謫罰，或者別人用語言謫罰他，或者給他種種刑具謫罰他的身體，你要守護好，讓他沒有這些謫罰。

「五者為彼守護遮斷一切謗毀輕弄」，這是兩方面，一方面別人不謗毀他，不輕弄他，拿他開玩笑。二者是他不犯這個過錯，他不去謗毀別人，不會謗毀三寶，不會謗毀人家的名譽，這是兩方面的。佛囑託虛空藏菩薩你要守護，讓他自己也不犯，也不受這種報。

「六者為彼守護令於一切軌範尸羅皆得無犯」，如果他是出家人，或者他是四眾弟子，三歸五戒，八關齋戒，沙彌、沙彌尼戒、比丘、比丘尼戒，一切律儀，尸羅是戒，軌範是規矩，不論是規矩或戒律都不犯。

「七者為彼守護令悉除滅一切非人四大乖反非時老病」，守護他別受到非人的惱害，也就是鬼神。鬼神的惱害使他四大不調。「反」就是非正常的，不該老，老了，不該病，病了。「非時」，就是還沒有到壽命該盡的時候，這叫橫死。本來可以正常的生長，但病了，是受到非人的擾害，特別是小孩子，很容易得驚風，那是鬼神惱害損減他的壽命。「非時」的老病，不該老的，他老了；不該病，他才四十來歲，背也駝了，腿也走不動了，這都是受「非時」惱害的關係。佛囑託虛空藏菩薩，要守護他們，使他們健康的，平安的，吉祥的。

「八者為彼守護不遭一切非時非理災橫夭歿」，這就說的很清楚，不合乎道理的事，是自然的災害；像最簡單的車禍，我們在香港路過，只是待兩天，看到一段事故，上頭修工，他在那底下走路，還有板子。上頭一個什麼掉下來，把那木板打脫了，打到他腦殼上。他如果慢走一步趕不上，快走一步過去了，他就是不巧不慢的趾到了，每個車禍都是這樣，這都是屬於非理的災橫，夭殁了。《藥師經》上講九種橫死，就是這個意思。佛就囑託虛空藏菩薩，凡是讀過《十輪經》的，你都要守護他，讓他不要遭遇這種災難。

「九者為彼守護命欲終時，得見一切諸佛色像。」這個很難，並不是人人死的時候都能夠看到佛像。聽到有人勸你念佛，這很不可能的，特別是現在更不可能了。一有病就送到醫院，特別是在美國當僑民的，送到醫院，醫院不准許這種宗教儀式進去，你能勸他念佛嗎？給他一個念佛的錄音機，醫院說你會擾亂別人，拿走，根本不許可你。那我們把人接走，不行，送進來就不能接走。這怎麼辦？你得事先聲明，只要你有病的時候，不進醫院。遇到這種情況，你想見佛像也見不到。我們能夠讀到《大集十輪經》，虛空藏菩薩就會守護；不但見著佛像，還有人來助念，到你跟前念佛，見地藏像，見佛像，見觀音菩薩像，一見著，你心裡就生起了嚮往之心，業障就消失了。所以，佛叫虛空藏菩薩守護讀誦《十輪經》的人，讓他臨終的時候能見著諸佛的佛像。

「十者為彼守護令其終後往生善趣利益安樂」，這很不容易，所以佛囑託虛空藏菩薩。凡是讀過《十輪經》的人，像大家都有這個資格，凡是聽過《十輪經》的，就算未聽全，只聽一句都算是；這部經上說的一句一偈，一句就是一句話，最要緊一句話是地藏王菩薩，要是聽到四句，聽到多一點更好；他一定送你生善趣，不墮三塗，令你得利益得安樂。

「善男子，若諸有情於此法門，有能讀誦思惟其義，為他解說住正行者。」這個正行，我們前面講那一點，就是十善業道，能住十善業。「汝當為彼勤加守護如是十法」，佛又一再囑託這十法，你要注意，一定要守護，不能欠缺。「令於長夜利益安樂」，永遠得到利益。「時虛空藏菩薩白佛言，唯然，世尊。」是的，世尊，我聽您的囑託。「我當受持如是法門廣令流布」，這個眾生必須得聞這個法門，才能跟他有緣；如果都聽聞不到這個法門，也不讀不誦，那就保護他不了。怎麼辦?自己應當受持這個法門，把這個法門廣宣流布，令諸一切有情都能知道這個法門。

假使說諸有情於此法門能夠「讀誦思惟其義」的，「為他解說住正行者」，我一定為他守護這十法，「令於長夜利益安樂」。時薄伽梵說是經已，於眾會中，虛空藏菩薩摩訶薩、地藏菩薩摩訶薩、金剛藏菩薩摩訶薩、好疑問菩薩摩訶薩、天藏大梵等。」這是《十輪經》請法的當機眾，乃至於「天龍、藥叉、健達縛、阿素洛、揭路荼、緊捺洛、莫呼洛伽、人非人等一切大眾聞佛所說皆大歡喜，信受奉行。」《大集十輪經》到此就圓滿了。

現在我們重新講講出入息觀。

佛開示我們一種方便，叫出入息觀。出入息觀就是觀出入息，注意你的呼吸，出息跟入息；觀就是注意，注意你的出入息。出入息是什麼意思呢？就是修習這個持來去念，來念就是入，出念就是呼，吸就是入，呼就是出。修這個來去念，就能夠達到「隨順空忍」，「隨順無相忍」，「隨順無願忍」，就可以證得三解脫門，換句話說，能夠解脫。

怎麼樣念？怎麼樣觀察入息出息呢？有六種程序，一出一吸，叫呼吸，這兩個吸呼之間是一個數，你要這樣數，從一數到十，一呼一吸，又數，又是一呼一吸，再數一呼一吸，數到十數，數十個。完了，再從頭，又是一、二、三、四、五、六、七、八、九、十，數完了，再數，數完了再數。

這是習定，你們試試看。你數數就錯亂了，本來是入息出息，本來是數出息的，你卻數到入息上，本來是數入息的，你卻數到出息了；你怎麼選擇都可以，數出息也可以，反正一出一入算一個，十個出入息，就是十個，就是數這麼十個數，你要靜下來數，要專注，試試看，必須得定，全力貫注。

我們都說念佛專注一境，念念妄想就起來了。你數出入息，是要你把你的心吸住，略為一錯，又錯了。那十個數字，你現在數數總是數不成的，就是隨這個呼吸，隨這出入息來數。深入到一定的時候了，能夠不數了，感覺數數太粗了。

初步用功的時候，數數的感覺就自然了，不假作意了，自然隨著那個出入息，念頭不走了，專注一境了。念頭不走，連這個隨念的隨，這個念也沒有了；念沒有了，就止，止就是定。

定的時候，出入息極細微了，你不能見到。這個觀不同了，這個觀就是思惟，覺照，照了的時候，就把出入息的念頭轉了，轉成清淨的，沒有了。

在你修定的時候，有種種的現象，定會發慧，會發光明。定一發光明，你對自己的身體、五臟六腑、一切的脈轉經繞、蚤生髮長，你都能知道。連頭髮一長，你都知道，看得很清楚。觀就是這樣子觀，你不要作意去觀，自然就觀了。

觀這五不淨業，你心裡會生起厭離，觀你的身體會生不淨，觀外邊的境界也生不淨。轉就是還淨，這個淨是什麼呢？空義。清淨了，觀清淨了。這個我們先大概的說一說，之後再說說智者大師的〈六妙門〉。智者大師不叫「轉」，他叫「還」，也是觀出入息。

〈六妙門〉是根據各部經論而作的，各個經都有這個方法。不過其他的經，沒有這麼明顯，《大集十輪經》就說的非常明顯。

先說「數」。「數」，大家看經文，有兩種的作意，數這個數的時候，能造兩種作意。「能依伏諸尋伺」，我們思念的念頭，是經常的尋求，伺是伺求，就找些妄念。

我們用什麼可以止住這個妄念？就取這個出入息相。入息，就是呼，呼就是出，吸就是入。吸入的時候，看它的相，注意它，當你注意的時候很粗，你剛坐下來出入息很粗，你可以感覺到，也能看到這樣出氣。這出入息的相，觀觀觀觀的，他就細微了，出入息相，就能捨掉了。隨順這個出入息而漸漸能捨了，捨什麼呢？捨了那個尋伺，不去再找，不去再尋伺。伏這個是離，能離開了。

「善取入出息相」，所謂善取者，就是沒有取，善取就沒有取捨了。這個時候出入息很自然，出入息很細微了，要是到了細微的地方，第一個是能夠捨；第二個是能夠善取入出入息相。入出入息相就隨著出入息，自己就運動去了，就是隨你的意念，也是專注一境了，心絕對不散亂。

數息觀。四教、五教都講數息觀；數這個呼吸，就叫數息，息就是出入息。總的說來，這六種都叫數息觀。止，把這個出入息的相滅了，沒有了，他能夠滅除這個示現的出入息相，滅除了，就定了，能住勝三摩地，很殊勝了。他一住到定中了，非常的愉快，離開生滅相。定的名字叫離生喜樂地，離開了生滅，心裡感到非常的歡喜。你觀察的時候就知道了，可以覺到出入息滅，沒有出入息了。

這種功夫不是一天、二天可以達到的。當你修的時候，一般根機、善根好的人，差不多一百天就能夠漸漸的入定，入定數息滅。那時候自己能觀的境，能觀的心，跟所觀的境，心跟境只有一個；這個觀照了，那觀照了，看著經文，這時候才能安住心，心跟心沒有別異了。「轉」，就進一步了，這個「轉」就是「還」的意思。

「能方便捨諸取蘊」，「五取蘊」，色、聲、香、味、觸、法，這是「六塵」。眼、耳、鼻、舌、身、意，是「六根」。取這「五取蘊」，就是色、受、想、行、識，這個識分別外頭一切的色相，這叫「五取蘊」。在這個時候，他就能夠方便善巧的捨掉五蘊；捨掉，不是究竟捨，究竟捨了，就像觀自在菩薩似的，照見五蘊皆空，他已經漸漸達到空義。

這時候能成聖，趣入聖地，得成就了。這個成就還未斷煩惱，只是降伏了，等到淨的時候就能夠斷煩惱了，把結使都斷盡了。到了斷見惑的時候，他就證了初果了，漸漸才斷思惑。斷幾品就證幾品，那思惑都斷盡了，就是阿羅漢果了。再斷煩惱習氣，隨你所修的功用，這就叫修習入出息觀，便能隨順的觀五取蘊，色、受、想、行、識。

以下講講觀五取蘊。出入息是依著什麼呢？依著「色取蘊」，色身就是色相，「色取蘊」。這個如是的出入息，他造作出入息，來回出入息，就是造作的。造作什麼呢？你有出入息才能夠呼吸，呼吸才支持你的身。這個出入息一出一入、一出一入，你就感覺到、領受到，如果氣只出去，不進來，你就不舒服了。你就感覺到那個受納，而受者是領納為義，就屬於受蘊了。

而出入息的來回出入，你取他的相，出息的相、入息的相，觀照著出入息的相，這屬於想。「想取蘊」，能夠了達識別入出息造作的形相，了達識別，這就是「識取蘊」。

色、受、想、行、識，這「五取蘊」，那麼就修行這個「數、隨、止、觀、轉、淨」使你入定，可以止住身口意的三業，隨著這個觀力能夠達到目的。達到什麼目的呢？入定了，一步一步的深入無明愛取，一步一步的修行，漸漸就能圓滿了。

數息觀在這部經當中說的很簡略，在智者大師的〈小止觀‧六妙門〉裡頭，就分成很多科。〈六妙門〉有六種，我們在這裡只講其中的一種，因為〈六妙門〉是習定的一個根本；不論聲聞獨覺菩薩，這是必經之路。在修道的時候一定要經過的，釋迦牟尼佛也如是。

釋迦牟尼佛最初實行般若觀，就依著這六種，「數、隨、止、觀、還、淨」，一切的行門，都由這個開發的。降魔、成道，佛就給我們示現那麼一個規矩，這個修好了，叫什麼呢？「色寂三昧」、「心寂三昧」，一切色全寂靜了，得定了，心也就止息了。這時候到了「一心三昧」，也就是「念佛三昧」。

之前我隨著經文講，我念的法，就是用念佛的方法來修數息觀，並不是說不要數。數的涵義，就是一出一吸，我是出息分做兩個；出息或者

「阿」，入息或者「彌」，再出息，「陀」，再入息，「佛」。就這樣轉、轉、轉，「阿彌陀佛，阿彌陀佛」，就那麼隨著出入息轉。

我是用這個來修定的，後來我又改成念「地藏王菩薩」，也是這樣。我沒有用數，並不是用數數，數一至十。各人的修行方法不同，可以隨你自己的選擇，「數」、「隨」、「止」都是這種涵義，也是這六種。

這六種就是數法，數就是數數的方法。〈六妙門〉一共有十個，數息觀是〈六妙門〉的第二個，叫「次第相生六妙門」。我把這個名詞唸給大家聽一聽。

第一是「歷別對住諸禪六妙門」，一切的禪定不離開六妙門。

第二種就是「次第相生六妙門」，次第相生就是「淨、隨、止、觀、還、淨」。〈六妙門〉叫「還」，「還」、「轉」是一樣的意思，次第相生。那麼「數」完了，生「隨」，「隨」完了就能生「止」，「止」完了生能「觀」，從「止」而生「觀」，從「觀」而生「還」，「還」完了而還「淨」

了。第六是「淨」了，這是次第相生的六妙門，你修什麼禪定就有什麼六妙門。

第三「隨便宜六妙門」。第四「隨對治六妙門」，第五「相攝六妙門」，第六「通別六妙門」，第七「旋轉六妙門」，第八「觀心六妙門」，第九「圓觀六妙門」，這個就深了。第十個是證得佛果，「證相六妙門」，證的時候也有六妙門。

現在我隨著《大乘大集十輪經》，來引證一下「次第相生六妙門」，「次第相生」是你想入佛道的一個階梯，一步一步走；要是你在欲界當中要想修定很困難，怎麼辦？就依這六種，可以成就你的定力。

第一個「修數」，就是數數，數十數；一呼一吸算一，一呼一吸算二，一呼一吸算三，就來回這麼數。完了，第二是「證數」，證你所數這個數，這個數有兩種，一個修，一個證。證了之後就轉入了，轉入到隨裡頭去了；一證了之後，這數就止息了，沒有數了，就是隨。

「修數」，就是調和你的息，把很粗的調成很細的。我們慢慢這麼調，但是你可別著急，數數的時候要慢，隨它自然的出入息，不假作意，一作意，這定就很不容易生起，那是不假自然的。調和氣息，要怎麼樣呢？不快不慢，不澀不滑，一定要修到這樣，安詳的，慢慢的，從一至十，這樣數。

我們之所以能夠攝心就是靠數，如果你能夠攝心，就用念阿彌陀佛攝心，你念佛，念到隨這個出入息轉、轉、轉、轉。息沒有了，你還感覺佛號是隨著你在轉呢！這樣你就定了。但是這個隨，隨著各人的修法，是你先知道這個數字，從一至十，攝這個心，不令它快也不令它慢，使那個心就攝住了，不能馳散；再想別的時候沒有了。它要想想什麼過去，要想想什麼事，沒有這個時間，它永遠沒有空隙給你，使你那個意念，紛想的雜念不會跑。

「證數」，怎麼樣要算證得呢？你覺察到這個心自然就隨那十個數，再不會錯亂了，自然應運就證得了。從一至十，你不要怎麼作意，不要假用，不假什麼力量來督促。

最初的時候你稍微不注意又跑了，又數錯了。數到完全成熟了，一至十再不錯亂了，任運了，能這樣數，不假功力，漸漸的外緣都息掉了。心住息緣，緣息，緣這個氣息的緣念，沒有了。這緣念息了，這個時候你感覺著氣息，若有若無，說沒氣，好像還有微細的；說有，已經沒氣了。沒氣了，到這個功力上頭已經沒氣了，到了這個時候，思想已再不想數數，把這數字捨棄了，這個就叫「隨」了。

第二種就是「修隨」要「證隨」。「修隨」，就把那個數的方法，數數的方法捨掉了，你的心自然的跟那出入息轉；心不跑了，不須再數數了。數數是防這心，馳散心已經不馳散了，那就不要防備，隨這個心念就隨著出入息。但是這出入息很細很細的，氣如游絲，像人要斷氣的時候那個樣子。但是，你這個心已經完全沒有外物了，隨這個氣息，這微細的氣息隨它的緣而運用，這叫「隨」。「隨」就是隨著那個氣息的緣，極微細的息，令他念住；乃至於到最後「證隨」了，心已經淨了，不亂了，就是隨住了，心已經定了，不亂了。

這時候你覺察到這氣息，或者長，或者短，清清了了的。乃至於曉得這個氣息，不止鼻息出了，不止鼻尖上，每個毛孔都好像在細微的出息，也在入，也在出，這叫「遍」。「遍」，遍身入出。所以你這個心的微細，任運相依，互相連繫。他在出，不一定要這個鼻息來出，鼻息已經覺知不到了，隨處都可以出息。這個時候，修行人捨「隨」了，不再注意這個氣息去了，它已經入定了，氣息沒有了，就「止」了。

「止」，怎麼修法呢？一個是「修止」，一個是「證止」。「修止」的時候，那個緣慮的思想，慮是定。定是息定，你就止了，感覺到息。定，出入息都在，每個汗毛孔，每個出入息，這個所有的能夠出入息的，這汗毛是通的，不然怎麼會出汗，這汗毛孔裡冒出來是通的。那氣息有時候你這兒不出，他在那兒出，連這個也息了，一切緣慮都息了，定了，息已經止住了。止息住了，也不念數了，也不念隨了，以淨其心，使你修行。

「證止」呢？這個時候，也不知道身，也不知道心，心身一如了，沒有一樣，入定了。但是這種定，還沒入空，還是在有相之中，要把這個定轉成到無相。證的時候，不見內外相，定的方法就是持心，任運不動，那麼這個修行人，已經入了三昧了，心裡頭產生一種寂靜快樂，但是沒有慧，只是定。

我們講止觀雙運，定慧雙修，要是只定到這兒，不行的。他起慧照就觀，觀就是慧照，沒有慧的方便，生死破不了。雖然定了，定了破不了生死，還得流轉，這就沒有修成，怎麼辦呢？還得假，要破壞生死。

「復作是念，今習定者皆屬因緣」，這個定是從「數」、「隨」這樣修來的。修到這兒是因緣法，屬於五蘊法，屬於十八界法，這是和合而有的。觀照就起念了，起念了，就起這麼觀照念。這個虛誑不實的，現在我定在這兒做什麼？我現在不見不覺，也沒有念了，也不起覺照了。我應當觀照，應當照了，一起念，作是念已，不執著這個心；不執著我這個定，不享受那個快樂，起觀分別，就是觀。

止觀，觀照起來了，「修觀」呢？於這個定中用慧心所分別，觀察微細的出入息，觀察他像空中的風一樣。像佛所說的，我們的人身有三十六物，都是不實在的，虛幻不實的；這是修習析空觀，不是體空觀。體空觀是當體即空了，這是分析他空的，分析空。心是無常的，剎那不住，也沒有我，也沒有人，乃至於身受心法，皆沒有自性。

這樣，我這個定依著什麼呢？我怎麼定的呢？定何所依呢？是「修觀」，是隨時這麼觀察，在定中這樣觀察，這叫思惟修。觀慧均等，我們經常講止觀雙運，就是這個涵義。用這個來觀息，覺這個息出入，全體身心的毛孔，一切諸毛孔都在出入息，這就要你自己開智慧，心眼開明，自己觀照這三十六物，清清楚楚。那時候你這個肉體，生起厭離心了，每個汗毛孔，就是那個蟲子的，呼吸孔，觀這個是諸蟲戶，內外不淨，從裡頭到外頭，沒有一點乾淨的。

這個時候心裡頭就生出悲喜來了。悲自己的這個肉體；喜，歡喜自己也能進步了，破了「四顛倒」了。對身體不淨，徹底認識到了，眞正的不淨，念戀身體的愛心才斷了，這叫證。

究竟證得觀照了，心裡頭就緣這個觀的境界了，把那定的境界放棄了，這緣觀的，還在定中。這不是走動的來觀照，是你坐在那的時候，那定境轉成觀照了，這就是定慧雙運。這個時候來觀照，用分別的、分析的方法，認識到這是念在流動，念在流動並不眞實，應當「捨觀修還」。

講「還」，就「捨觀修轉」，一個「修轉」，一個「證轉」。「修轉」，就是觀察的，我心裡起一念，觀照這一念從心生起的，心生才法生；這是我所分析的，這不是根本的本緣，不是法身的本體，要用反觀來觀這個心。觀現在這個心，這個心是從什麼地方生起的？漸漸的覺到了，這個心是從觀生的，還是從非觀心生的？如果是從非觀心生起呢？誰又來觀呢？

觀那個心，究竟從那兒生起的？心生一念，那心又滅，這一念起一念滅，就觀這個心的生滅，觀這個心是從心滅生起的。就這樣觀，要是從心也生心，從滅也生心，也就是生起了兩個心，就是生滅心。那只是一個，這個觀也很費功夫，這總共有四句，生、滅、非生、非滅。

這個「觀」完了之後，那時候知道我這個心，本來不生，不生就沒有，不生就不有，不有就是空，空了我還有什麼觀心呢？空了連能觀的心也沒有了！就是能觀的心沒有了，我又怎麼能觀境呢？我的心是對境的，心既然沒有了，那麼，境還有嗎？境智雙亡。

我經常跟我們道友說，懺悔要這樣念，這樣想，這樣的懺罪最清淨了，「心亡境寂兩俱空，是則名爲眞懺悔」。心也沒有了，境也沒有了，你有什麼罪可懺嗎？罪沒有，是這樣的觀想，空觀修成了，才沒有。所以我們說是受苦受難，或者身心受痛苦，憂愁煩惱，那是你的妄念。如果你能坐下來，靜觀的時候，感覺很苦，把這苦拿出來，我是因爲那樣事情才苦，這個事情是眞的嗎？是實有的嗎？你一觀，沒有了，都沒有了。

例如兩夫婦吵架要離婚，當時感覺很苦，一觀，他不是我，我不是他，我連自己都找不到，還說他！他跟我是什麼關係？這麼一空了，什麼苦惱都沒有了，這是因緣。因緣所生的法是假合的，假合的沒有眞實的；既然是不眞實的，我生起什麼煩惱？苦就是煩惱，這樣你的煩惱就斷了，這是斷煩惱的方法。

心亡境智兩空了，這就轉，是爲轉者，就這樣轉了。要是離開境，離開智，也就是離開能觀的心跟所觀的境，沒有境智；你要是觀久了，境也沒有了，智也沒有了，不假功力，心慧開發。你自己產生大智慧，這個智慧是照了，這要「修淨」了，修淨了，又要「證淨」，證淨就清淨了。

「修淨」的時候，你知道一切諸色本來清淨的，身心本來清淨的，一切諸法本來沒有染污的，其性本清淨故；一切妄想分別，你不分別了，淨非淨，染非染，染淨不存都是境。外境都空了，妄想就是垢，妄想沒有了，那垢染也沒有了。就是從息分別的時候開始，那個時候是垢，到現在什麼都沒有了，都空了，空了是眞正清淨了，這樣修。

這只是〈六妙門〉當中的次第，既然次第相生就有因有緣，彼此相生的。但是這只是〈小止觀．六妙門〉的部份內容，要是想眞正修觀、研究止觀，還得修〈摩訶止觀〉。

《華嚴經》講的止觀，很玄妙的，很不容易進入；一開始就修「眞空絕相觀」，一切相都不存在，心內相、心外相，一切諸佛的色相，一切諸法一切的法寶，凡有形相都是虛妄，眞空絕相。

這個眞空絕相修成了，再產生「理事無礙觀」；理遍於事，事就是理。理遍到事上，事就是理，理事無礙的，理無礙事也無礙。所以在一微塵裡頭能轉大法輪，就是這個涵義；那一微塵就是理，一切事都融在理，理就是事，事就是理，理事無礙。

再進一步就是「事事無礙觀」，不用理遍事，而事的本身，事事都無礙，那就到了華藏境界。

那種觀，我們是修不成的，因爲我們的心力不夠，我們連叩頭觀想，都觀不成。如果我們一叩頭，你想「能禮所禮性空寂」，能禮的我所禮的佛沒有，他的性、他的體是空的，是寂靜的。就像我們講那個「心寂」，我們連「心寂三昧」都還沒有證得；「色寂三昧」更不可得了。「色寂」完了，是達到「心寂」，完了，達到「一心三昧」，說念佛念到一心不亂，這不是一句話；念佛，念到一心不亂，七天當中可以一心不亂，七十天、一百天，你也可以一心不亂了。

依著這個修，是從出入息觀的，如果你不觀出入息，你就觀「阿彌陀佛」四個字來轉你的心，也不求什麼還淨，求能止住就行了。

一天當中，要是連在夢中，你都是「阿彌陀佛」，「阿彌陀佛」不是作意念的，而是自然的運轉念，你死了還不生極樂世界嗎？肯定的生。因爲你的心已經跟極樂世界合了，已經跟阿彌陀佛，身土不二。極樂世界就是阿彌陀佛，這就是身土不二，阿彌陀佛就是極樂世界，你這樣觀想久了，你跟佛合了。我念念的是阿彌陀佛，我就變成了阿彌陀佛，你已經在極樂世界了，這個深入一點。不過，大家聽這類語言，聽久了，就能夠入了。開口罵人聽髒話，熟悉得很，因爲無量劫來根器很深，一來就現相，他就熟了。但你聽這個，不曉得好多劫沒有聞到，你聽到這些話，還是不能進入的；你要從淺處說，別說多了，要一步一步入。

爲什麼修行的時候，要有善友，或者善知識？當你走錯了，他馬上給你撥過來。你不要想太多，數數就好了，就數十個數，你想這個很簡單，你數數看，很不簡單。十個，你還不錯，等到二十、三十，你早錯亂了，散亂早攢進來了。十個數數不成，等你把這個數數觀修好了，才再進一步說隨。

這不是一天兩天，不是一年兩年，如果這個數字沒有數好，你天天這樣修。像你不能專修，一天抽一個小時，或者抽半個小時，最初修的時候，不要坐太久了，不要貪多，這也是貪。你貪多了，做不到。

爲什麼呢？你說：「我一定要坐三個鐘頭！」你有時間嗎？你剛開始坐的時候。最初先坐十分鐘，或者一刻鐘；感覺不舒適，念頭一錯了，要起來不坐了，有時間了，你再坐一個十分鐘，到漸漸入了，你就多坐。增加個一刻鐘，增加二十分鐘，增加半個小時，逐漸的增加，不要一下子，一定要坐一個鐘頭。還要來個雙盤膝，表示精進，腿子一痛也定不下去了，別人一叫你，你一起來慌慌張張想辦事，就把腳弄壞了。有很多人他的腳麻木了，人一喊他有緊急事，他就站起來，當時是不痛。過了，腳也不靈活了，走不成了，我就看過很多這種情形。

我們有個道友，要快過年了，他想要閉關，我說：「你別閉關了。你的事務很多，等到有機會的時候再說吧！」他不信，還是要閉關，一下子就把腿摔斷了。他是在夜間，屋子沒有燈，他捨不得開，又怕浪費公家的錢，捨不得開電燈。那地下非常滑，年齡又大，他想上洗手間，一走啪摔倒在那兒，起不來了，腿也不能走了，又沒有人來，就倒在地下。

過年前後，北京零下好多度，就那麼凍著，等天亮了，他的弟子來了，才看見他的老師父倒在地下。問他發生有什麼事？都摔了，就抬去醫院治療，有些事是不能勉強的。

精進是好的，下決心是好的，但是你要先衡量一下環境，看看自己的力量，要漸進的。頓入，我們是不可能的，修行的時候不要貪多，像我們好多道友也練習盤雙腿，那是自然的，能盤上就不錯，那不是一天兩天的功夫，你盤上了，坐不了很久，腿又很痛，只要能坐就行了。

要注重在你的心上，別注重形式。我們很多道友注重形式，看別人也看形式，看他的威儀好不好，坐得端正不端正；說你打坐，先問他會不會跏趺坐。你問他會不會修心好了，跏趺坐有什麼用呢？跏趺坐，你只能坐得住，就行了，不要求坐的形相，要求實用。

學一部經要實用，別在形相上講，我聽了什麼經，聽什麼經又有什麼用？那部經說什麼？說斷十惡、行十善，你斷了嗎？一天當中你檢查檢查，得要求實際，先審思，審思。我們要求達到什麼，要先考慮到中間的障礙，跟我的事實能不能達到？不能達到，我的標準定低一點，別定太高，你不是想修行？想逐步深入、想了生死嗎？隨你沾邊，生死已經開始了，不必急，也不要貪多；打坐也好，聞經也好，幹什麼也好，持聖號是最好的。我們要先把現實的生活災難免了，之後才說到修行。

地藏菩薩是指引你生到極樂世界，《十輪經》，也講你可以生淨佛國土。還有《占察善惡業報經》，那是說淨佛國土，你生哪個佛國土都可以，但是你要想生哪個國土，地藏王菩薩說你一定要念那個佛國土，佛的名字，稱到一心不亂；要是稱那個佛名字，跟他緣不深，就改念「地藏王菩薩」，或者就念「觀世音菩薩」，他們也送你去。普賢菩薩，並沒有說你要念他的名號，你只要讀十大願王，法力加持，你就能去，而且還是上品上生。

一切經論，都是趣向極樂世界，化生淨佛國土。《大乘本生心地觀經》也如是說，有關地藏菩薩的名號，只有《大乘本生心地觀經》說的是「地藏王菩薩」，其他的經文說的都是「地藏菩薩」，法法都是通的，「地藏王菩薩」或「地藏菩薩」都是可以的。看你是坐飛機，是坐火車？還是自己開車？

方法雖然不一樣，你乘的車不同，你走的速度快慢不同，但是你目的必須專一，不要太多，太多了，你是不能入的。

你聽完這部經，認爲很好，我要修這部經。等又聽到那部經，也很好，又去修那部經。你的壽命是有限的，等老死來了，你一個都沒有修成，還是等於零。最好是先別墮入三塗，保護住十善業。自己受了三歸五戒，清淨無毀，這樣就不犯了，能夠這樣就很好了，今天我們就算圓滿了。

獲益囑累品　竟

大乘大集地藏十輪經　竟

國家圖書館出版品預行編目資料

地藏菩薩的念佛法門：大乘大集地藏十輪經
福田相品、獲益囑累品. 第六冊/夢參老和尚
講述；方廣編輯部整理．--初版．--台北市；
方廣文化，2005--　(民94)　　面：　　公分

ISBN 978-957-9451-98-7(平裝)
1. 方等部

221.35　　　　　　　　　　94015307

地藏菩薩的念佛法門

大乘大集地藏十輪經【福田相品、獲益囑累品 第六冊】

主講：上夢下參老和尚
錄音整理：梁國英、溫哥華地區道友、方廣編輯部
封面設計：大觀創意團隊
出　　版：方廣文化事業有限公司
住　　址：台北市大安區和平東路一段177-2號11樓
電　　話：(02)2392-0003　傳 真：(02)2391-9603
劃撥帳號：17623463　方廣文化事業有限公司
總 經 銷：聯合發行股份有限公司
電　　話：(02)2917-8022　傳 真：(02)2915-6275
出版日期：2023年5月　2版6刷
定　　價：新台幣260元
行政院新聞局出版登記證：局版臺業字第六〇九〇號
網　　址：www.fangoan.com.tw
e-mail: fangoan@ms37.hinet.net

【夢參老和尚的叮嚀】

本書經夢參老和尚授權出版發行

No：D507-6

方廣文化出版品目錄〈一〉

夢參老和尚系列
書 籍

● 八十華嚴講述

HP01 大乘起信論淺述 (八十華嚴 導讀一)
H208 淺說華嚴大意 (八十華嚴 導讀二)
H209 世主妙嚴品 (第1至3冊)
H210 如來現相品・普賢三昧品 (第4冊)
H211 世界成就品・華藏世界品・毘盧遮那品 (第5冊)
H212 如來名號品・四聖諦品・光明覺品 (第6冊)
H213 菩薩問明品 (第7冊)
H214 淨行品 (第8冊)
H215 賢首品 (第9冊)
H301 升須彌山頂品・須彌頂上偈讚品・十住品 (第10冊)
H302 梵行品・初發心功德品・明法品 (第11冊)
H401 升夜摩天宮品・夜摩宮中偈讚品・十行品・十無盡藏品 (第12冊)
(H501～H903 陸續出版中......)

● 華 嚴

H203 華嚴經淨行品講述
H324 華嚴經梵行品新講 (增訂版)
H205 華嚴經普賢行願品講述
H206 華嚴經疏論導讀
H255 華嚴經普賢行願品大意

● 天 台

T305A 妙法蓮華經導讀

● 楞 嚴

LY01 淺說五十種禪定陰魔—《楞嚴經》五十陰魔章
L345 楞嚴經淺釋 (全套三冊)

夢參老和尚系列
書 籍

方廣文化出版品目錄〈二〉

● 地藏三經

地藏經

D506 地藏菩薩本願經講述 (全套三冊)
D516A 淺說地藏經大意

占察經

D509A 占察善惡業報經講記(附HIPS材質占察輪及修行手冊)
D512A 占察善惡業報經新講

大乘大集地藏十輪經 D507 (全套六冊)

D507-1 地藏菩薩的止觀法門 (序品 第一冊)
D507-2 地藏菩薩的觀呼吸法門 (十輪品 第二冊)
D507-3 地藏菩薩的戒律法門 (無依行品 第三冊)
D507-4 地藏菩薩的解脫法門 (有依行品 第四冊)
D507-5 地藏菩薩的懺悔法門 (懺悔品 善業道品 第五冊)
D507-6 地藏菩薩的念佛法門 (福田相品 獲益囑累品 第六冊)

● 般 若

B411 般若波羅蜜多心經講述 (合輯本)
B406 金剛經
B409 淺說金剛經大意
B412 應無所住：金剛經十四堂課

● 開 示 錄

S902 修行 (第一集)
Q905 向佛陀學習 (第二集)
Q906 禪・簡單啟示 (第三集)
Q907 正念 (第四集)
Q908 觀照 (第五集)

方廣文化出版品目錄〈三〉

方廣文化出版品目錄〈四〉

密宗系列

M001　菩提道次第略論釋　(全套四冊)
M002　勝集密教王五次第論
M003　入中論釋
M004　大乘寶要義論(諸經要集)
M006　菩提道次第略論
M007　寂天菩薩全集
M008　菩提道次第廣論
M010　菩提道次第修法筆記
M011　白度母修法(延壽法門修法講解)
M012 A　中陰-死亡時刻的解脫
M018　菩提道次第廣論集註　(卷一～卷十三)
M019　佛教的本質-《佛教哲學與大手印導引》
M020　業的力量-(與死亡的恐懼共處)

能海上師系列

N601　般若波羅蜜多教授現證莊嚴論名句頌解
N602　菩提道次第論科頌講記
N606　能海上師傳
N607　現證莊嚴論清涼記
N608　菩提道次第心論

論頌系列

L101　四部論頌(釋量論頌 現證莊嚴論頌 入中論頌 俱舍論頌)
L102　中觀論頌　(中摺本)
L103　入菩薩行論頌　(中摺本)
L104A　彌勒菩薩五部論頌
L105A　龍樹菩薩論頌集
L106　中觀論頌釋
R001　入中論頌　(小摺本)

方廣文化出版品目錄〈五〉

南傳佛教系列

SE05 七種覺悟的因素
SE06 南傳大念處經 (中摺本)
SE07 三十七道品導引手冊 (阿羅漢的足跡增訂版)
SE08 內觀基礎 《從身體中了悟解脫的真相》
SE09 緬甸禪坐 《究竟的止觀之道》(增訂版)

其他系列

Q701 單老居士文集
Q702 肇論講義
Q703B 影 塵-倓虛老法師回憶錄
Q705 佛學小辭典 (隨身版)
ZA01 參 禪《虛雲老和尚禪七開示》
ZA02 禪淨雙修《虛雲老和尚開示錄》
Z005《禪宗公案》-李潤生著

夢　參　老　和　尚

再現地藏風采 開啟無盡誓願

地藏菩薩本願經《卷上 卷中 卷下》

《地藏經》是地藏菩薩法門的核心經典，夢參老和尚此次講述的特色，是著重在《地藏經》每一品、每一段的經文中，盡可能開示地藏菩薩的無盡誓願、地藏法門的重重奧義，並列舉古往今來的歷史經驗、發人深省的典故，乃至於夢參老和尚的個人修行體悟，加以說明，務期大眾掌握地藏菩薩法門的精髓，以及具體可行的修持要訣。

NO. D506 地藏菩薩本願經講述
25K 平裝(三本) NT:660

消除修行障礙・增長清淨信心

這是夢參老和尚有關《占察善惡業報經》的第二本講述著作。

1998年夏夢參老和尚應五台山普壽寺僧眾的邀請重新講解，讓我們了解地藏法門的基本精神，並且具體活用占察輪相，將修行與生活結合。

編號：D512

編號：D516
精裝 NT：320

如何依止《金剛經》修行？並將經典與生活結合？這是本書〈淺說金剛經大意〉的旨趣。

2007年夢參老和尚在五台山解說《金剛經》的大意；並依流通本三十二分的架構，簡擇出《金剛經》的辯證義理。

占察善惡業報經講記（修訂版）

編號:D509A 25K NT:599
(附占察輪HIPS材質 & 修行手冊)

《占察善惡業報經講記》是夢參老和尚赴美國弘法，第一本集結成冊的書籍。由於深入淺出，有修有證，廣受海內外讀者的讚許與推薦。

本書的內容，娓娓道出他學習地藏占察輪相的傳承，以及具體的修持步驟，使得學習地藏占察輪相，逐漸成為佛弟子懺除業障、增長信心、求得清淨戒律的重要方便法門。

這本書是夢參老和尚在一九八九年九月，應美國紐約菩提心協會的邀請而舉行的開示內容，編輯部在徵得夢參老和尚的同意下，重新校正修訂出版。

《華嚴經淨行品》為八十華嚴的第十一品，夢參老和尚講述《華嚴三品》是以〈淨行品〉為首，主要是增長我們修行的信德，用事顯理，彰顯信位菩薩「善用其心」的無礙智慧。

編號：H203
25K NT：280

為方便瞭解華嚴義海，夢參老和尚介紹了《華嚴經疏論纂要》第一卷的玄談導引。

在講解過程中，特別釐清了清涼國師與李通玄長者的異同，並將古奧的華嚴疏論，化為深入淺出的語言。

編號：H206A
25K NT：320

《華嚴經梵行品》是八十華嚴的第十六品，這一品表現出佛教義理當中純粹的思惟與辯證的理性，尤其是在面對出家人的清淨戒行上，這一品的經文更是逐一辯難，讓修行人可以銷除疑惑，證得空性。

編號：H324（增訂版）
25K NT：220

編號：H208
小16K NT：399

〈普賢行願品〉是《華嚴經》的最後一品，也是華嚴事事無礙的具體法門。

夢參老和尚以修持〈普賢行願品〉半世紀的經驗，提出修學《華嚴經》的要訣。

編號：H205
25K NT：300

2004年早春，夢參老和尚以九十歲高齡，在五台山講述《大方廣佛華嚴經》，完整開演華嚴甚深奧義。

為學習全套【八十華嚴】奠定基礎，隨書附贈一片紀念版DVD光碟，讓無緣親臨華嚴法會者，能如親臨現場參與請法儀式，聽聞老和尚演說華嚴大意。

淺說五十種禪定陰魔
《楞嚴經》五十陰魔章
夢參老和尚
開悟的楞嚴 初入佛門者不可或缺的導引
學習佛法應克服障礙，本書列舉了五十種修道上的危機，是初入佛門者不可或缺的導引。
淡極始知華更豔的說法境界
公元二○○八年三月，夢參老和尚在台弘法進入尾聲之際，因夢境之敦促，生起了開講《楞嚴經》的心願；
老和尚此次開演楞嚴大意，以疏淡的方式凸顯《楞嚴經》的典雅莊嚴，
面對深 染的 句，信仰妙明真體，銷除億劫顛倒想。
希冀大家能在楞嚴大法中
淺說五十種禪定陰魔 《楞嚴經》五十陰魔章
夢參老和尚主講
方廣文化出版 25K平裝 定價新台幣320元 ISBN：978-078-30-8